정은정

숭실대학교 불어불문학과에서 『오렐리아의 멜랑콜리아 시학』 논문으로 석사학위를 받고, 서울대학교 불어불문학과에서 앙드레 브르통의 '객관적 우연'에 관한 논문을 준비하다 박사 과정을 수료했다. 이후 한국 프라도 사제회의 직원으로 7년을 근무했다. 아버지가 돌아가시고 무기력하게 지내다가 그림을 그리며 혼자된 엄마에 대한 글을 쓰기로 결심한다. 시댁에서 주부로 살다 보니 늘어나는 책을 감당할 수 없어 파괴스캔을 하다가 오히려 책과 도서관 세상에서 존재의 의미를 찾았다. 사서자격증을 따고 도서관에서 배가와 책수선 봉사를 하게 된다. 글이 완성되어 출판되면 직접 책을 엮어 엄마에게 선물할 꿈으로 예술책 제본을 배우고 있다.

일러두기

* 도서명은 『 』, 영화, 드라마 등의 작품명과 음악의 곡명은 < >로 표시했다. 인명과 지명을 비롯한 고유명사와 외래어 표기는 국립국어원 외래어표기법에 따랐으며, 관례로 굳어진 것은 예외로 두었다.

엄마가 있는 서가

엄마가 있는 서가

글·그림ⓒ정은정, 2023

1판 1쇄 펴냄 2023년 12월 15일
디자인 강초록
제작 세걸음

펴낸이 박진희
펴낸곳 ㈜파롤앤
출판등록 2020년 9월 10일 (제2020-000195호)
주소 서울시 서초구 서초대로 396, 217호
이메일 parolen307@parolen.co.kr

ISBN 979-11-979099-8-6 03810

* 이 도서는 한국출판문화산업진흥원의 '2023년 중소출판사 출판콘텐츠 창작 지원 사업'의 일환으로 국민체육진흥기금을 지원받아 제작되었습니다.

엄마가 있는 서가

아줌마 삶을 견디기 위한
책읽기

정은정 지음

파롤앤

차례 ♩♩

do

re mí

sí

do si

sol

re

mi

do

프롤로그. ♩ *Somewhere in Time*

"후우, 아프면 유난 떨지 말고 그냥, 숨을 내쉬어, 그럼 따끔하고 말아, 유방 검사, 자궁 검사도 그래."

"엄마 난, 내시경을 젤 못 하겠어, 없던 병도 생길 거 같거든."

"그럼, 수면 검사해, 한잠 자고 나면 다 끝나 있어."

"자는 동안 무슨 일 있을 줄 알고."

"그렇게 못 믿으면 무슨 일을 할 수 있겠어."

1시 58분. 새벽이라고도 못할 한밤중, 잠이 깼다. 잠에서 깼다기보다 잠들지 못했다는 게 맞다. 아침은 조용하고 평온했었다. 엘리베이터를 타고 도서관 4층에 내리자 쇼팽 피아노곡이 고요히 흘렀다. 유리 통창 밖으로 한여름 짙푸른 나무들이 푸른 하늘에 더욱 물 듣고, 나는 시원한 복도를 따라 땀을 식히며 걸었다. '삶과 죽음 사이에는 도서관이 있단다'*, 흰 벽면 글씨도 흘낏 본다. 일을 시작하기에 앞서 여유 있는 시간을 누리면서 화장실에 앉아 디즈니 만화 주인공 쿵푸 팬더처럼 '이너 피스(inner peace)'를 외었다. 애 키우다 보면, 또 어른 모시고 살다 보니 누리지 못했던 이런 시간, 이런 게 호사지 호사가 별건가, 뱃속은 더욱 평화로웠다. 그렇게 시작된 어린이 자료실 하루는 별일 없이 끝나고 있었다.

그런데, 일이 터졌다. 아장아장 걷는 아기까지 있는 엄마가 그렇게

---

* "삶과 죽음 사이에는 도서관이 있단다." 그녀가 말했다. "그 도서관에는 서가가 끝없이 이어져 있어. 거기 꽂힌 책에는 네가 살 수도 있었던 삶을 살아볼 기회가 담겨 있지. 네가 다른 선택을 했다면 어떻게 달라졌을지 볼 수 있는 기회인 거야…. 후회하는 일을 되돌릴 수 있는 기회가 생긴다면 하나라도 다른 선택을 해보겠니?"(『미드나잇 라이브러리』, 매트 헤이그, 노진선 옮김, 인플루엔셜, 2021, 49쪽.)

막무가내일 줄은 상상도 하지 못했다. 영어 동화책을 포함해 수북이 쌓여 있는 책을 보아도, 사용하는 단어나 논리를 보아도 못 배운 사람은 아니었는데, 무슨 이유에선지 별안간 분노가 폭발해 내 이름을 묻고 더 높은 사람, 더 높은 사람을 찾으며 소란을 피웠다. 주어 동사 포함, 한 문장으로도 대꾸하지 못한 내 몇 마디 말을 가지고 날 자격 미달 직원으로 만들어 버렸다. 건드리지 않으려면 어쨌든 참고, 맞짱을 뜨려면 확실하게 해야 했는데, 명찰도 걸고 있는데 이름을 묻기에 답하고, 녹음하겠다기에 녹음하라 하고, 민원을 넣어서 잘라야 한다니 그러라 한 게 잘못이었다. 도서관에서 내가 하는 일이란 있는지 없는지 알아주는 이 하나 없는, 또 그렇게 해야 하는 그런 일인데 그날따라, 유난히 차가웠던 그 엄마의 아기 손을 한 번 잡았던 때문에, 모두가 이용하는 도서관 책을 쓸어 담아 와 마치 슈퍼마켓 카트에 넣은 자기 물건 취급하는 게 조금은 신경이 쓰였던 때문에, 도서관에서 일어나서는 안 될 일을 저지른 셈이 되었다. 마감 시간은 다가오고 책은 널브러져 있고 해서, 정리를 좀 도와드릴까, 물었던 것뿐인데. 말을 들어 주면 내게도 말 할 기회를 줄 줄 알았는데. "어린이 자료실이라…" "다 같이 이용하는…"이라는 말 뒤 내가 끝내려던 말은 '너무 마음 쓰지 마시길 바랍니다' '배려하도록 하겠습니다'였는데. 내게 화를 내며 똑 부러진 말을 쏟아 내는데도 무슨 소린지 모르겠는 그 순간, 그 아기 엄마 눈이 자꾸 생각이 나서 뒤척였다. 그리고 그런 말들을 도서관 선생님들이 몇 시간씩 듣게 했다는 죄책감으로, 눈을 감고 있어도 자꾸만 낮으로, 낮으로 돌아가는, 머릿속 톱니바퀴 소리인지, 켜 놓은 에어컨 소리인지에 저릿저릿했다.

그러다, 침대 위에서 에버랜드에 있다는 판다 푸바오처럼 뒹굴거리며 듣던 엄마 말이 방안을 울렸다. 유난 떨지 말고 그냥 숨을 내쉬어, 후우 하고, 그럼 따끔하고 말아, 한잠 자고 나면 다 끝나 있어. 그제야 나는 내가 잔뜩 긴장해 웅크리고 있다는 걸 깨달았다. 그리고 "후우…" 길고 길게 숨을 내뱉었다. 서서히 잠이 오기 시작했다. 자는 동안 무슨 일이 있겠어, 믿기진 않지만 일은 터졌고 내가 할 수 있는 일은 없어, 이게 현실인걸. 무력감이 엄습해 오지만 그렇게 불안해만 하면 더더욱 무슨 일을 할 수 있을까. 난 나이는 먹었어도 경험이 없는 사람이고 도서관에 계시는 선생님들은 경험이 있는 분들이다. 그리고 내가 성급하게 장담했듯이 어떤 결과가 나오든 나는 그것을 감당할 수 있는 사람이다. 그 긴긴 밤, 내겐 엄마가 있었다.

엄마는 나보다 앞서 엄마로 산 사람, 나의 과거이며 현재이고 미래인 존재다. 나는 그 배를 베고 낮잠을 잤고 그 김치 맛을 알고 있다. 꽉 막힌 아빠와 대화가 안 돼 답답해할 때면 엄마는 이렇게 말하곤 했다. "아빠는 아빠가 없었잖아, 어릴 때 할아버지가 돌아가셔서. 아빠가 그러실 때가 있어, 아버지랑 기억이 없어서 아버지면 뭘 어떻게 해야 하는지 모를 때가 많다고." 그럼, 엄마는 엄마의 엄마가 있어서 엄마를 배웠을까, 판다 푸바오를 낳고 기른 아이바오가 그 어미에게서 배웠다 하듯?

엄마는 엄마를 낳아 주신 엄마를 예순이 다 되어 찾았다. 길러 주신 부모님이 돌아가시고 가족관계를 정리하자 하는데, 낳아 주신 엄마는 다른 가정을 이루고 계셨고, 그렇게 다들 돌아가신다면, 엄마에겐 엄마가 있었던 걸까? 그리고 함께한 일들을 기억하는 딸인 내가 사라지면, 우리 엄마 아니, 나의 엄마가 이 세상에 '있었다'는 걸 무엇으로 알까? 여긴 어디? 나는 누구? 생각이 깜깜한 무중력 공간을 떠다닌다. 엄마를 기억해야 할 내가 필요했다. 그럼, 어디서 어떻게 이 '나'라는 걸 찾아야 할까?

나는 도서관을 다닌다. 책을 빌려 읽기도, 사람들이 읽은 책을 다시 서가로 정리해 꽂기도 하고, 책이 필요한 사람들에게 전달하는 일을 하며, 사람들 손을 타 훼손된 책을 고치기도 한다. 도서관은, 누군가엔 세금 내는 만큼 최대한 누려야 하는 배급품 창고 서비스 공간일지 모르지만, 사서였던 작가 보르헤스 같은 사람에겐 끝없이 무한한 "우주"*가 되는 곳이기도 하다.

이제 내 눈은 지금 내가 쓰고 있는 것조차 알아볼 수 없고, 나는 내가 태어난 육각형의 방에서 몇 킬로미터 떨어지지 않은 곳에서 죽을 준비를 하고 있다. 내가 죽으면, 자비로운 사람들이 나를 난간 위로 던져 버릴 것이다. 내 무덤은 깊이를 헤아릴 수 없는 허공이 될 것이고, 내 육체는 끝없이 떨어질 것이고 썩을 것이며, 아마도 무한하게 떨어지면서 만들어낼 바람꽃에서 분해될 것이다. 나는 도서관이 끝없다고 분명하게 말한다.**

그가 '내 글을 읽고 있는 당신, 당신은 내가 쓰는 언어를 이해한다고 확신하는가?' 하고 물을 만큼 뜻을 알기 어려운 그의 글 「바벨의 도서관」에는 이런 말도 있다.

---

* '다른 사람들이 "도서관"이라고 부르는 우주는…'(「바벨의 도서관」, 『픽션들』, 호르헤 루이스 보르헤스, 송병선 옮김, 민음사, 2011, 97쪽.)

** 「바벨의 도서관」, 98쪽.

유일한 종족인 인류가 멸망 직전에 있다 해도 "도서관"은 불을 환히 밝히고 고독하게 그리고 무한히, 미동도 하지 않은 채, 소중하고 쓸모없으며 썩지 않고 비밀스러운 책들을 구비하고서 영원히 존속할 것이라고 생각한다.*

영원이라는 시간까지는 검증 불가능하다 하더라도, 천년을 간다는 한지만큼은 아니어도, 한 사람 산 생명의 시간쯤은 훌쩍 넘어 있을 수 있는 것이 종이고 책이다.** 더구나 인류 태동 이후부터 지금까지 역사 자료보다도 많은 기록이 디지털로 작성돼 인터넷에 남겨지고, 한번 인터넷에 기록되면 그야말로 영원히 사라지지 않는다고도 한다. 나는 보르헤스가 말하는 이런 도서관을 위해서 봉사하는 한 사람이기도 하다.

고민 끝에, 나는 도서관을 택했다. 책을 만들어 ISBN을 받아 도서관에 놓으면 보르헤스의 말처럼, 시간 속 어디, 세상 어딘가에 '있었다'는 것을 누군가는 알 수 있지 않을까. 그래서 글을 쓰기로 했다. 그렇다면 내가 할 수 있는 것, 쓸 수 있는 건 뭘까? 다큐를 만들 수 있는 기자도 아니고 역사가도 아니고 소설가도 아닌 내가 쓸 수 있는 거라곤 '나'의 이야기밖에 없었다. 내가 가진 재료라고는 엄마와 나눈 이야기와 내 기억밖에 없고, 책밖엔 도움을 구할 곳이 없었다.

---

* 「바벨의 도서관」, 108쪽.

** 공공도서관 어린이자료실 책들, 특히 만화책이나 웹툰을 보면 회의가 일기도 하나 종이로 된 책의 여행은, 영화 <조제, 호랑이 그리고 물고기들>에도 있듯, 타서 재가 될 때까지 계속된다고 생각한다.

얘기랄 것은 있기나 할까? 답을 찾아야 하는데 질문이 새록새록 시작되고 있었다. 『운명의 과학』이라는 책에는 이런 말이 있다. '당신 기억의 생생함과 당신 기억의 정확도는 별개의 문제니 유의하세요.' 시간을 돌릴 수 없는데 기억의 정확도를 어떻게 책임질 수 있단 말야? 좌절하고 있을 때, 『가끔은 제정신』이라는 책을 읽었다. '사람들의 기억은 되살려질 때마다 거의 새롭게 쓰인다.' 어차피 기억은 정확히 되살려지지 않는다는 사실, 하지만 기억하는 것 자체로 새로워질 수 있다는 말일까? 기억하는 것만으로 '나'라는 존재를 찾고 또 다른 '나'도 만날 수 있을지 모른다.

「바벨의 도서관」에서 보르헤스는 쓰고 있다. '도서관이 모든 책을 소장하고 있다는 사실이 알려지자, 처음으로 나타난 반응은 무한한 행복감이다. 사람들은 모두 자기 자신이 누구의 손도 닿지 않은 완전하고 비밀스러운 보물의 주인이라고 느꼈다'*고. 글을 쓰면서 나도 그랬다. 차츰차츰 그 '행복감'이란 어떤 것인지 알 것 같았다. ISBN을 얻으려면 출판해야 하는데 그건 좀 막연한 이야기였다. 도저히 방법이 없다면 내 손으로라도 만들어야지 하며 나는 막무가내로 이야기를 '시작'했다.

'나자.' 초현실주의자 브르통의 소설 속 주인공 이름이다. 그 소설은 '나는 누구인가?'라는 질문으로 시작한다. 내가 글을 시작하며 '나자'를 떠올린 이유는 그것이다. '나자'는 '희망'이란 뜻을 가진 말(러시아어)의 앞부분, 그러니까 단지 그 '시작'이라 하기 때문이기도 하다. 희망을

---

* 「바벨의 도서관」, 103쪽.

말하기 시작했지만, 반드시 희망이 되어 끝날지는 알 수 없다. 소설의 작가가 길에서 우연히 나자를 만나듯이 나는 도서관에서 책들과 사람들을 만났다. 일상의 사건, 책을 만나는 순간, 글이 되는 순간, 그림이 되는 찰나 그리고 이 책이 만들어질 수 있었던 만남까지 그저, 그런 일들이 일어났을 뿐, 어느 시간도 계획하고 확신한 적 없었다. 희미하게 빛나던 그 모든 우연들을 감사히 모아 나, 그리고 엄마의 이야기를 담아 보았다. 흩뿌려진 물감 같은 모양에 무슨 그림이 떠올라 보일지 모르겠다. 때로 에셔의 <손을 그리는 손>처럼 서로서로 존재를 지키고 있기도 하다. 엄마하고 나처럼.

엄마가 꺾어 나눠 준 5~10센티미터 크기 장미 허브가 뿌리를 내리고 가지를 늘려서 작은 화분 세 개가 되었다. 엄마는 서울에 올 때마다 웃자란다 싶은 아이들을 똑똑 꺾어 흙에, 물에 꽂아 둔다. 물을 많이 주지 않아도 햇볕에 놓아두면 뿌리를 내고 줄기를 뻗고 잎을 늘리는 장미 허브의 강한 생명력은 아름답고 경이로웠다. 이상적인 가족을 상징할 땐 '뿌리 깊은 나무'를 말들 하지만, 가족이란 장미 허브류 식물 같은 것이라, 생각해 본다. 꺾어 나눠도 따로 뿔뿔이 살아서 가지를 치고 퍼지는. 뿌리는 찾는 게 아니라 내리는 것이고 그 힘은 내가 이미 가지고 있는 것이었다.

내게 매섭게 쏘아붙이던 이용자의 그 눈이 떠오른다. 소설 속 나자의 '고사리 같은 눈'*이 그 위로 겹친다. 그래, 도서관은 그들과 함께해

* 『나자*Nadja*』, 앙드레 브르통, 오생근 옮김, 민음사, 2008, 114쪽 사진 참조.

야 하는 곳이기도 하다. 글을 한 꼭지 한 꼭지 떨어내는 순간순간마다 나 역시 보르헤스처럼 묻는다. '내 글을 읽고 있는 당신, 당신은 내가 쓰는 언어를 이해한다고 확신하는가?' 하고. 이를 위해 난 쇄빙선 같은 용기를 내야 한다.

나, 아줌마는 오늘 생각한다. 인생의 전환점을 언제 돌았는지, 아직 갈 길이 멀었는지 아니면 불쑥 끝나 버릴 건지, 어떡하고 살아야 하는 건지 고민할 때가 많아졌다. 젊음도 사랑도 사람도 사라지고 바래고 잃는다는 안타까운 슬픔이 어느 때보다 절절해진다. 어릴 적 보고 펑펑 울던 영화를 하나 찾았다. ＜사랑의 은하수Somewhere in Time＞.* 갱년기 아줌마가 돼서 그런지 엉뚱한 생각이 불쑥거리길래 예전의 감흥 같은 건 없나 싶다가 마지막 장면에 다시 울어 버렸다. 화면이 흰빛으로 가득했다. 리차드와 앨리스 두 주인공이 아마도 천국인 듯한 공간에서 눈을 맞추고, 미소 짓고, 손을 맞잡으면서 끝났다. 그렇지, 사랑으로 돌고 도는 저런 시공간이라면 어디가 전환점이고, 어디가 시작이고 끝인지 무슨 의미가 있을까. 'Somewhere in Time', 시간 속 그 어딘가에 살았고 사랑을 했으면 그뿐이지.

그래 그렇게 희망을 시작하자 나자, 이제 내 하는 이야기 한번 들어주겠니?

* 원작은 리차드 메드슨의 『시간 여행자의 사랑』(김민혜 옮김, 노블마인, 2008)이다.

re

mí

아줌마, 나를 그리다.

사랑으로 돌고 도는 저런 시공간이라면 어디가 전환 점이고, 어디가 시작이고 끝인지 무슨 의미가 있을까. 'Somewhere in Time', 시간 속 그 어딘가에 살았고 사랑을 했으면 그뿐이지.

아줌마, 나를 그리다

보라색 머메이드지로 감싸 노트를 한 권 만들었다. 또 비가 온다. 비가 오는 날엔 보라색이 좋다. 보라색 하니 떠오르는 방탄소년단, 그들은 '사랑해'를 '보라 해'라고 말하지. 끊임없이 비가 오니 생각도 추적인다. 노트에 이름을 쓸까 하다, 내 얼굴을 그려 보자, 생각이 들었다. 친구들과 엄마에게 얼굴을 그려서 보여 준 적이 있다. 다들 어김없이 자기 아니라며 연습을 더 하라는 둥 맘에 들지 않는다는 둥 말이 많았다. 어차피 핀잔 들을 거 나를 보고 그리자, 그 어떤 모습이건 모두 나인데, 받아들이기가 그렇게 어렵겠어?

팔을 쭉 펴 셀카모드를 누른다. 화들짝 놀란다. 예쁘지 않잖아. 괜찮아, 나야 나, 감출 필요도 속일 필요도 없어. 하지만 무방비 상태로 마주한 내 얼굴은 어쩌면 그렇게 낯선지. 이리저리 찍어 봐도 맘에 드는 사진이 도무지 나오질 않는다. 화장도 하지 않은 뚱한 얼굴. 그래도 좀 웃어 줘. 입꼬리에 긴장을 풀기가 어려워 살짝, 아주 살짝 힘을 줘 미소를 띠어 본다. 내가 나한테 예뻐 보이려고 안간힘을 쓰는 것이 우스워 피식 웃음이 나온다. 찰칵.

몽땅한 흰색 유성 색연필을 집어 들었다. 막상 그리려니 다른 사람보다도 더 미지의 세계다. 캐릭터를 잡고 파스텔 톤으로 입체감을 살려 그려 보리, 야무진 꿈이었다. 내 앞에 놓인 '나'는 도무지 어디서부터 어떻게 손을 대야 할지 모르겠다.

눈썹을 그린다. 가닥가닥이 한 방향으로 잘 쓸려 있다. 따로 그릴 필요가 없던 편리한 내 눈썹은 엄마의 손길, 바람이 지나간 자리 같다. 그 끝은 쳐졌다. 아빠 유전자다. 비를 몰고 다니시던 아빠. 아빠, 우리가 너무 보고 싶어요? 이렇게 비가 오래 내린 적이 없대요. 곧 추석이니 뵐 수 있을 줄 알았는데 코로나 때문에 추석 연휴에 추모의 집도 닫는대요.

눈 모양이 궁금해졌다. 어린 시절 거울 속을 뚫어지게 바라보면서 눈이 레이저가 나올 것같이 강렬했으면 좋겠다고 생각한 적이 있다. 덜컥 검은 선을 그려 넣자 어린 시절 그 바람이 주문처럼 들러붙었다. 눈동자는 아직 또랑또랑한가, 그래, 위로하는 말이다. 정신을 차리고 보니 투탕카멘의 눈. 이 눈이 그림을 다 그릴 때까지 끈질기게 괴롭힐 줄, 이때는 몰랐다. 애교라곤 찾아볼 수 없는 작은 눈….

"오매!"

나는 서울 노량진에서 태어나 서울에서 자랐다. 그런 내게서 무의식중에 이 말이 튀어나오는 건, 김치에 젓갈을 듬뿍 넣는(지금은 거짓말처럼 넣으라지만) 곳에서 태어난 엄마 영향이다.

"넌 아무 때나 그 말 좀 하지 말어-어. 내 친구들이 전라도 며느리 얻었다고 뭐라 하잖여-어."

티브이 조선과 채널 에이를 쉬지 않고 보시던 시아버지 말씀을 듣고 뒤돌아 나오는데 가슴이 답답해지고 눈물이 났다. 밤새 '난, 전라도 사람도 아닌데, 아니, 전라도 며느리면 뭐가 어때서?' 서운하고 서러워서 잠을 잘 수가 없었다. 아침 일찍 집을 나왔다. 버스를 집어 타고 내린 곳은 서울역이었다. '이놈의 집구석에서 제일 먼 데로 가버려야지!' 서울역에서 갈 수 있는 제일 먼 곳은 여수인 것 같았다. 무작정 여수로 내려갔다. 역 앞에서 보이는 대로 버스를 탔던 것 같다. 향일암엘 갈 수 있다고 했다. 버스에서 내려 헉헉거리고 올라 바위 속을 지나 나가니 눈앞에는 하늘 담은 바다 위로 햇빛이 부서지고 있었다. 해가 다 지도록 앉아 있다가 시내로 나와서 햄버거를 먹고 밤차로 돌아온 새벽 역에는 남편이 무작정으로 기다리고 있었다. 그때 저한테 왜 그러셨어요, 시아버지께 물어볼 수 없었다. 그럴 기회는 이제 다시없다.

급하게 음영을 넣어 코를 세우고 밋밋한 볼 피부를 채워 올린다. 내 얼굴이지만 참, 특색이 없다. 들고 나고가 분명해야 하는데 평평하니 색을 채워도 채워도 넓기만 하다. 라이트 피치, 프렌치 그레이와 베이지, 크림슨 레이크로 피부표현을 한다. 왠지 드라마틱하지 않은 것 같아서 빨강을 조금 섞었다. 그리고 하이라이트를 준다. 딱히 하이라이트라 할 것도 없어서 안경 밑 광대뼈 바로 위와 콧등에, 이번엔 과하면 안 돼, 굳게 결심하고 흰색을 얹었다. 입술도 그린다. 아니, 너무 붉잖아, 그래도 그렇지, 다시 그려, 하다가 만약 다시 그리지 못하고 내게 무슨 일이라도 생긴다면 이 그림이 영정이 될 수도 있다는 엉뚱한 생각이 든다. 좀 화사하고 웃는 얼굴로 만들고 싶다. 또 흰색으로 입가의 주름살, 어색한 입꼬리를 지우고, 그리고 또 지우고, 핑크로 피부에 생기를 주고, 아이라인을 지우고 지워서 부드럽게, 그림자를 지워서 어떡하든 빛나게 해보려고 애를 썼다. 하나를 고치면 하나를 지워야 하고 하나를 그리면 또 하나를 고쳐야 하고…. 끝이 나긴 하는 걸까? 그림을 그리는 사람은 나인데 그렇게 묻고 또 묻고 있었다.

'누구…?'

보라색 노트 위에 그려진 얼굴은 시작할 때보다 더 낯설다. 나이 들어 보이는 화장 진한 아줌마가 어색하게 웃고 있다. 이래서 다들 그림 그려 주면 보고서 자기가 아니라 하는구나. 그림을 이리 돌려 보고 저리 돌려 본다. 뒤집어서 보니 나 같기는 한데, 아, 내가 눈썹, 코와 입, 주름살을 그리며 기쁨보다는 슬픔, 아쉬움, 그리움을 떠올리는 나이가 된 거구나. 아무리 애를 써도 바꾸지 못하는 그 추억들이 쌓여 만들어진 것이 지금의 '나'인가. 비가 오고 생각이 끊이지 않아서, 오랜 시간을 걷고 걷듯이, 여전히 서툴게 나를 그려 보았다. 내가 만난 또 다른 내가 나를 바라보고 있다, 이상하고도 친근하고 보라 하게.

로실드의 바이올린

한의원에서 침이란 것을 처음 맞는다. 가본 적이 있긴 하다. 아이가 발목을 삐었을 때 아이의 친구 어머니가 간호사로 있다는 곳이었다. 아이도 아니고 어머니도 아니고 애 아빠도 아니고 '내'가 침을 맞았다. 뜸·부황을 떴다. '도담탕'이라는 이름의 한약도 지어 먹었다. 내가 괜히 <신박한 정리>라는 프로그램에 끌렸던 게 아니었다. 이래저래 배출되어야 할 많은 것들이 덕지덕지 몸에 쌓여 있다고 한다. 설사를 계속하고, 콧물 기침에 몸살 기운이 가시질 않고, 밤이면 어디서 두들겨 맞기라도 한 것처럼 온몸이 아파서 잠을 제대로 자지 못했다. 건강검진을 해보니 수치가 뭐 하나 좋은 게 없었다. 깜짝 놀라 1년 동안 약 먹고 음식도 잘 골라 먹고 운동하고 노력을 이만저만한 게 아닌데 끝끝내 오십견이 와서 왼팔을 통 쓰지 못하게 되었지 뭔가. 전엔 잘 아프지 않아 병원이란 곳에 다녀 보질 않아서, 뭘 어떻게 해야 하는 건지 도무지 알 수 없었다. 그냥 주사도 무섭고 침이란 것도 무서운데, 너무 아프니까, 아무 데라도 가서 물어보자 싶었다. 회사 옆에 한의원이 있다고, 오면 점심을 사주겠다고 꼬시는 남편의 유혹에, 마지못해 넘어가는 척, 하지만 절실한 심정으로 의사 선생님 앞에 앉았다. 팔을 들어 보라고 하는데 창피하게 힘도 주질 못하겠다. 둥글둥글 둘린 살들이 모두 철 덩어리인 것 같았다. 맥을 짚어 보는 의사 선생님을 바라보며 나는 생각했다. 살 빼면 다 낫는 병입니다, 소식하시고 운동하셔야 해요, 그러시겠지. 내가 뭐 남들보다 얼마나 더 먹는다고. 운동은 할 만큼 했는걸. 요즘 코로나라 어디 꼼짝 못 해 그렇지. 내 유일한 낙이란 것이 그림 그리고 책 읽는 것이니 앉아 있는 시간이 많은 건 어쩔 수 없잖아. 네, 네, 알겠습니다, 열심히 해볼게요.

"혹시 우울증 치료 같은 것 받으십니까?"

"아니요." 그런데 갑자기 눈물이 날 것만 같은 이 기분은 뭐지? 의사 선생님은 공황장애가 있지 않은지 재차 물었다. 진맥으로 그런 것도 알 수가 있나? 나는 아무 말도 할 수 없었다. 말을 할 수 없는 건, 강한 동의이면서 동시에 의도치 않게 너무 놀란 때문이었다. 우울증이나 공황장애로 병원에 다닌 적은 없다. 그저 오랫동안 우울감에 시달린 건 맞다. 그것이 무시해도 되는 수준인지 병적인 건지 알 수는 없지만. '공황장애'라는 단어가 궁금해 여러 번 인터넷 검색을 해봤었다.

갑작스럽게 밀려드는 극심한 공포, 곧 죽지 않을까 하는 강렬한 불안인 공황 발작이 반복적으로 경험 (…) 비정기적인 강한 두려움이나 불쾌감이 나타나….

아빠가 돌아가시고 나서였을 것 같다. 한참을 잠을 잘 자지 못했다. 잘 자다가 악몽을 꾼다. 죽을 것만 같아 벌떡 일어난다. 가슴이 뛰고 숨이 쉬어지지 않아 씩씩거린다. 식은땀이 나고 앞이 안 보이는 것 같고 어지럽다. 대녀에게 들은 꿀팁이 있었다. 얼른 안경을 찾아 쓰고 부엌으로 가 물을 한잔 마시는 거다. '지나갈 거야. 기다려.' 내게 이야기해 준다. 고단해 30초 만에 잠이든 남편도, 멀리 안방에 혼자 계신 시어머니도, 아들도, 모두가 조용한 깜깜한 밤에 혼자 그러곤 했다. 생각해 보니 내게

폐소공포증 비슷한 게 있었다. 그래서 지하철을 잘 못 탄다. 언제부터인가는 조용한 공연장도 못 견뎌 뛰쳐나온 적도 있었고 지하에 있는 소극장 연극은 엄두도 내지 못했다. 극장에서도 어둠을 무사히 견뎌야 작품을 다 볼 수 있다. 미사를 볼 때도 긴 의자 맨 가장자리에 앉아야 한다. 언제든 재빠르게 나올 수 있도록. 이건 또 언제부터였던지?

한 장면이 떠오른다. 바람이 꽤 서늘한 어느 봄날, 나는 넓은 학생식당에 앉아 있다. 곧 강의가 시작되기 때문에 배는 고프지만, 밥은 안 먹고 데운 두유 하나를 사 마신다. 가끔 녹차도 마셨지만 아무래도 녹차는 더 자극되는 것 같았다. 나는 내가 다니던 학교가 아닌 곳에서 박사과정을 보내고 있었다. 그곳의 수업 내용이나 학생들의 기세가 내가 감당하기에는 버겁다고 생각했다. 이제 막 아이를 낳은 엄마였고 시댁에서 살고 있었다. 어느 날 강의 시간, 갑자기 숨이 막혀 왔다. 식은땀이 났다. 그래서 중간에 밖으로 나왔던 적이 몇 번 되었다. 사람들이 알아챘는지는 모르겠다. 구석 창문을 조금이라도 빼꼼히 열어 놓아야 세 시간에 걸친 강의를 끝까지 들을 수 있었다.

초등학교 6학년 때부터 스트레스를 받는다 싶으면 꾸게 되는 악몽이 있다. 꿈속에 나는 아무 장식이 없는 단단한 나무 관에 갇혀 있다, 살아서. 사람들은 내가 죽은 줄 알고 나를 관에 넣어 땅에 묻었다. 나 살아 있다고 손이 부서져라, 관 뚜껑을 두드려 보지만 나는 이미 깊이 묻혀 있다. 나는 그 꿈의 시작을 기억하고 있다. 부엌 옆 조그만 방을 혼자 쓰고 있었다. 동생은 할머니와 함께 자고 있다. 아침이면 엄마가 조심조심 아침을 짓는 소리에 잠이 깨곤 했다. 어슴푸레한 새벽이었던 것 같다. 엄마가 쌀을 씻으신다. 그리고 작게 흐느껴 우는 소리가 들려온다. 가슴이 먹먹해지는 슬픈 소리였다. 전날 저녁 외증조할머니가 돌아가셨다는 소식을 들었다. 태어나서 처음으로, 죽음이란 것이 있다는 걸 알았고 그것은 엄마를 너무 슬프게 하는 일이란 걸 알게 되었다. 그 이후 나는 밤마다 내 귓가에서 울리는 그날의 수많은 목소리를 안심시키며 잠이 들었다.

한의사 선생님인데 마치 정신과 선생님 같았지만, 돌팔이는 아닌 것 같다는 알 수 없는 믿음이 생겨서 선생님 말씀을 잘 따라보자고 결심했다. 약 잘 먹고 침 잘 맞으면 기분도 좋아지고, 살도 빠지고, 팔도 나을 거라고 했다. 워낙 멍때리는 건 잘하니 치료 시간이 오래여도 괜찮았는데 아픈 팔 때문에 제대로 누워 있지도 엎드려 있지도 못했다. 그걸 좀 잊어보려고 핸드폰에 저장해 놓은 오디오북 하나를 틀었다. 『로실드의 바이올린』. 배우 정동환이 읽어 준다. 이름이 로실드라, 유명한 와인과 연관된 것인가 했는데, 러시아 안톤 체호프의 단편소설이다.

죽는 것이 애타지는 않았지만, 집에 와서 바이올린을 보니 심장이 죄어오며 안타까운 마음이 솟구쳤다. (…) 이 세상의 모든 것은 사라져 왔고 사라질 테니까! 야코프는 오두막에서 나와 바이올린을 가슴에 끌어안은 채 문턱에 걸터앉았다. 그리고 손해만을 남기고 사라져 버린 인생을 생각하며 연주를 시작했다. 그러자 너무도 구슬프고 감동적인 선율이 흘러나와 자기도 모르게 눈물이 양 볼을 타고 흘러내렸다. 그가 더 깊이 생각에 잠길수록 바이올린은 더 서글프게 노래했다.

아픈 팔을 버티고 초승달 모양의 베개에 얼굴을 묻고 엎드려 있는데 문득, 눈물이 흘렀다. 슬픈 바이올린 소리에서 그 어린 시절 엄마의 흐느낌을 들었을까? 아니다. 그냥 팔이 너무 아파서.

아카풀코에 대한 희망*

이건 뭐, 하와이니 싶은 큰 꽃무늬 파란 원피스. 하늘이 파랗지도 않고, 우산을 들고 나가면서, 나는 굳이 이 옷을 입고 있다. 나도 안다. 왠지는 모르지만, 이 옷을 입으면 몸이 더 부해 보인다는 거. 무다리도 감출 수 없다는 거. 날도 덥고, 더우면 원피스가 최고지 싶어서, 그냥, 입고 싶으니까, 그렇게 입고 지하철을 탄다. 사람들은 모른다, 내가 지하철을 탄다는 게 얼마나 큰 결심인지. 도서관에서 아침부터 카톡, 카톡 한다. 조지 오웰의 『나는 왜 쓰는가』 반납이 연체되고 있다고. 옆 동네 도서관 책단비 서비스**로 받은 책이어서 지하철역에 있는 대출·반납 기계로 가야 한다. 연체되는 날짜만큼 이용이 지연될 뿐이지만 그 시간 동안 내 마음속에서 어떤 충동이 일지 모를 일이니 당장 반납하기로 했다. 잊고 있었는데, 이틀 뒤면 이태원의 한 미술관에서 열리고 있는 캐서린 오피 개인전도 끝이라니, 이왕 지하철 탄 김에 가보자.

지하철 문이 열린다. 비가 오는 한낮, 사람도 별로 없어서 앉을 자리는 많지만, 나는 문 앞에 두 다리를 떡 버티고 선다. 언제든 내릴 수 있고, 무엇보다 그 자리가 바람이 많이 불어 숨쉬기가 좋다. 이태원까지 역

---

* 『옆집 뚱보 아줌마가 임신했대요』, 미셸 트랑블레 지음, 고혜선 옮김, 파롤앤, 2022.

** 도서관을 직접 방문할 필요 없이 가까운 지하철역 및 버스 정류장에 설치된 예약도서무인대출·반납기를 이용해 도서 대출·반납이 가능한 서비스와 다른 도서관에 소장 중인 도서를 원하는 도서관에서 편리하게 대출·반납이 가능한 상호대차서비스의 통칭.

이 열 개. 두세 정거장을 자리도 많은데 서서 가는 내가 눈에 띄었나 보다. 한 아주머니가 친절하게, 앉아서 가라 하고 빈자리를 가리킨다. 나도 아줌마 넉살을 좀 부려 본다. 마스크도 썼겠다, 눈짓으로 고맙다 그러고 괜찮다, 그러면 될 것을.

"어머 신경 써주시니 너무 감사해요. 근데, 곧 내려요. 여기가 더 시원하기도 하고요."

"좀 비대해서 그러나?"

아주머니의 예상치 못한 반응에 나는 속으로 적지않이 당황했다. 역시 옷이 문젠가. 하지만 아무렇지도 않다는 듯 대답했다. "호호, 네, 그래서 안 앉아요. 날도 더운데 더 더울까 봐요." 다시 잘 보니, 몽당연필 선 같은 몸에 마침표 같은 눈을 한 아주머니. '비대하다'는 말은 '뚱뚱하다'를 피하려고 고르고 고른 말일 텐데, 왠지 웃음이 났다. 애 가졌냐고 하지 않은 게 어디야, 생각해 보니, 그럼, 나이가 있는데 망측하지 않냐 싶다. 그래도 나는 '비대하다'는 말보다 '뚱뚱하다'는 말이 더 편한데. '뚱뚱하다'는 그냥 뚱뚱하다는 뜻이지만, '비대하다'는, 구조조정을 하든지, 뭔가 조치가 필요하다는 비판, 조금 더 나가면 강압 같은 게 들어 있는 것 같아서다. 뚱뚱한 게 잘못은 아니잖아. 신부님들이 어느 자리에 가서 할 말은 많은데 할 수 없을 때 쓰는 방법이라고 말씀하시던 게 있다. 성경책을 무작정 펼치는 거다. 그때 보이는 성경 구절이 상황에 딱 맞아떨어질 때가 많다고 한다. 신부님이 아니어도 이런 우연을 계시처럼 여기며 감탄하고 감사할 때가 있지 않은가. 그날이 그랬다. 나는 더 우람하게 지하철 문 앞에 버티고 서 있다가 이태원에 내려 미술관을 찾아 들어

갔다. 아담하고 조용한 곳이었다. 안내데스크 너머에서 일하는 직원이 관람객보다 더 많았다.

캐서린 오피의 첫 한국 개인전. 제목은 '나의 해안에서 당신의 해안으로 그리고 다시 그곳으로'이다. 1층에는 진한 녹색, 파란색, 보라색 그리고 빨간색 배경으로 인물을 찍은 사진이 걸려 있다. 사진 속 인물들의 위풍당당한 시선과 달리 나는 눈을 맞추지 못하고 어찌할 바를 모른다. 이런 나를 사진 속에선 괜찮다고 웃어 주기까지 한다. 르네상스 시대 귀족처럼 앉은 작가 사진도 인상적이다(캐서린이면 여잔데). 안경 낀 둥근 얼굴에 덩치가 정말 컸다. '나의 해안에서 당신의 해안으로…' 전시가 이어지는 2층으로 올라간다. 시원한 에어컨 바람을 맞으며 눈 깜짝할 사이 나는, 작가가 부산에서 캘리포니아 롱비치까지 타고 갔다는 화물선 위에 서 있다. 걸린 모든 작품 속 절반 위치에 수평선이 펼쳐지고 그 위로 해가 뜨고 지는 시간이 담겨 있다. 1층에서 만난 낯선 감정이 2층에서는 그저, 부질없다, 저 멀리 보이는 수평선이 지금 네가 서 있는 곳과 연결되어 있고, 그것을 하늘과 바다를 나누는 경계선이라 말하지만, 사실 가늠할 수 없이 광대한 공간이니, 너는 그저 생각을 버리고 평안히 바라보기만 하여라 하는 것 같다. 사람이 없어서 안내데스크에서 봐도 된다고 준 작가 작품집들을 한참 볼 수 있었다. 같은 구도로 바다를 찍은 파스텔톤 사진들이 있었는데 제목이 'Somewhere in the middle'이다. 필름을 사용해 직접 인화하고 보정을 하지 않는 그 작품세계와 철학이 웅대하면서도 섬세해서, 아, 정말 예술가야, 흔들리던 눈동자가 이제 잔잔한 물결 위에 떠 있는 배처럼 고요해진다.

난 알록달록한 색깔의 홈드레스를 입을 거야 (…) 나는 태양이 날 사로잡

고 바다가 날 애무하는 그곳에 머무를 거야(…) 아카풀코.(38쪽)

다시 지하철을 타고 문 앞에 서서 큰 꽃무늬 원피스 펄럭이며 바람을 맞고 서 있다가, '자꾸만 배 위로 말려 올라가는 윗도리'를 (나처럼) 살짝 잡아 내리는, 시누이한테 '책을 너무 읽는 건 좋지 않다'는 충고를 들으면서도 '책 속으로 도피'하곤 하는 '뚱보 아줌마'가 생각났다. 2차 세계대전 중인 1942년, 독일에 점령당한 프랑스를 구하자며 캐나다는 영국과 연합군으로 참전한다. 이때 퀘벡주는 전쟁에 참여하지 않는 쪽에 투표했다. 이 퀘벡주 몬트리올의 한 서민 동네에서 5월 2일 하루 동안 벌어지는 이야기가 캐나다 인기 시트콤 <김씨네 편의점>처럼 펼쳐지는, 캐나다 작가 미셸 트랑블레의 소설 『옆집 뚱보 아줌마가 임신했대요』. 그래, 지금이다. 이 엉뚱한 제목의 책을 읽을 때가 되었다.

처음 제목을 들으면 뚱뚱한 캐릭터가 하나 있는데 옆집 아줌마고 그 아줌마가 아이를 가졌다는데 그래서 뭔가 싶다. 그런데, 이 소설에 등장하는 인물들 대부분은 여자고 남자고 모두 웬만하면 뚱뚱하다. 더 뚱뚱하고 조금 풍만한 정도 차이가 있을 뿐이다(혼자 쓸쓸히 죽음을 맞는 티루라는 창녀 정도가 말랐을까. 그녀에 이어 살짝 살집 있던 베아트리스가 훗날 이모인 이 티 루처럼 살며 마른 몸매를 유지했다고 하지). 옆 부자 동네 뚱보 사모님도 아니고 또, '사제관에서 사제들을 사랑하며 그들 시중을 드는 뚱뚱한 하녀'도 아니라 이곳 사람들은 도시 노동자, 그 직업도 사는 모양도 모두 고만고만들 하다. 이런 동네에, 전쟁에 남자를 보내고 싶지 않은 때문인지 아니면, 길고 혹독하다는 캐나다 겨울 때문인지, 봄기운이 물씬한 5월, 다가오는 여름에 출산 예정인 여자들이 일곱이나 있다. 여섯 명이 이십 대 초반, 첫 아이를 가졌다. 클레르 르미외,

로즈 위메, 가브리엘 조두앵, 제르멘느 로종, 마리 루이즈 브라사르, 로라 카디외가 그들이다. 남편들도 욕쟁이면서 뚱뚱하든, 게으르면서 뚱뚱하든, 꼭 막혀서 뚱뚱하든 한다. 소설 속 표현에 따르면 임신한 여자 중에서 제일 뚱뚱하고 나이도 많은(42세) 사람이 그 '옆집 뚱보 아줌마'다. 너무 뚱뚱한데 애까지 가져서 시누이인 알베르틴이 요강도 넣어 주고 몸도 씻겨 주며 밥도 침대에서 먹어야 할 정도다. 그런데 이 아줌마는 그저 여자라는 뜻의 '나나'라는 애칭이 있을 뿐 이름도 없이 '뚱보 여자'다. 입 걸고 성격 고약한 시어머니, 남편은 전쟁터로 보내고 딸과 아들을 기르는 시누이, 성 정체성 모호하고 역시 뚱뚱한 시동생과 함께 이미 아들 둘 낳고 인쇄소에서 일하는 남편과 사는 '뚱보 여자'. 우리 시어머니 동네 친구분들이 생각났다. 이분들은 '도토리' '106호' '백화점' '선생댁' '○○할머니'…, 이렇게 하지, 서로 이름을 부르시는 적이 없다. 옮긴이가 말하듯 '뚱보 아줌마'가 가진 익명성은 소설에서 설명한 대로 먹을 게 부족해 힘든 시기에 뚱뚱하다는 데 대한, 더구나 죽느냐 사느냐 하는 어두운 시기 아이 가지는 생각은 부도덕하다고 하는 비아냥 때문이란 생각이 든다. 지지고 볶고 해도 세상 사이좋은 이웃인 우리 동네 사람 같은 정감도 있다.

이 '뚱보 여자' 식구들의 이름엔 다른 동네 사람들과 달리 성이 없다. 성을 알 수 없는 그녀 가족은 아이부터 어른까지 모두 소소하기 그지없는 인간 군상을 대표한다. 작가는 운명의 여신 모이라이에 비견되는 '로즈와 비올레트 그리고 모브'가 하는 뜨개질처럼, 한 사람 한 사람의 이야기에 고양이 뒤플레시, 개 고드부까지, 한 코, 한 코씩 엮어 꽈배기 무늬를 교차시키는 듯한 신비로운 스토리텔링을 보여 준다(나는 작가가 '로즈(혹은 비올레트나 모브)'라고 첫 문장을 고쳐 다시 쓰는 것만으로 묘한 분위기를 자아내는 것에 놀랐다). 공원에서 놀던 리샤르와 필립 그리고 테레즈, 군인들 돈을 훔쳐 도망치는 메르세데스, 그를 만나려는 베아트리스, 아들 에두아르와 2년 만에 산책하는 빅투아르 할머니, 술집에서 겁쟁이에 게으름뱅이라 놀림받고 자괴감에 달려 나온 뚱보 여자 남편 가브리엘. 해는 뉘엿뉘엿한데 이들이 하나, 둘씩 우연히 만나, 행렬지어 집으로 돌아올 땐 왠지 뭉클하고, 뚱보 여자가 시어른, 남편 부축으로 처음 침대에서 일어나 식구들 격려받으며 발코니로 나와서 임신한 동네 여자들에게 "이야기 좀 하자"라고 할 땐, 상쾌한 봄밤 공기에 가슴이 뻥 뚫리는 듯했다.

뚱보 여자가 멕시코 아카풀코 해변을 꿈꾸는 이유는 그곳에 있으면 행복할 거라고 믿기 때문이었다. 전쟁 소식이 닿지 않고, 책을 원 없이 큰 소리로 읽을 수 있으며, 원하는 만큼 아이들을 낳을 수 있을 것이기에. 남편에게 자장가처럼 들려주는 이야기이지만 분명 자기 자신을 위한 이 상상을 그녀는 멈추지 않는다. 남편 가브리엘에게 '언제쯤이 되어야 따로 나가서 살게 될까' 묻는 그녀는 안다. 지금처럼 사는 한 자기가 해야 할 일들과 자기 아이들을 빼앗기고, 단 10분이라도 자기 남편이랑 단둘이 있을 수 없는 현실을. 나도 시동생, 시누이, 시부모와 살면서 그런 생각을 한 적 있다. 뚱보 여자에 '부러움, 혐오, 경멸, 존경' 등 오만가지 감정을 품고 자기는 하녀가 아니라며 투덜대곤 하는 시누이 알베르틴 마음도 이해가 간다. 지금이 1942년도 아니고 캐나다도 아닌데 말이다. 그리고 다시 뚱보 여자를 바라보니, 그가 왜 그렇게 아이를 원하고 필요로 하는지 알겠다. 맘껏 애를 낳아야겠다니, 옛날이니 그렇지, 요즘 누가 이렇게 기를 쓰고 애를 낳으려 하나 싶다가도 뚱보 여자가 존경스럽다. 애 하나 낳기도 버거워한 나와 달리 애를 많이 낳고 싶고 마흔이 넘어서도 애를 가질 수 있는 그 여자가 부러워서가 아니다. 저 뚱보 여자는 분노하거나 투덜대지 않고, 부끄러워하지 않으며, 당당하다. 애 몸무게가 2톤은 될 거고, 젖 먹이려면 암소를 떼로 사들여야 할 거라는 농담도 무척 좋아하고, 똑똑하고 예쁘게 기를 걱정은 아예 않고, 아기 응석 다 받아 줄 거라며 어떻게 살아야 하는지 잘 가르칠 수 있다고 자신한다. 자신의 것이라면 가난도 두렵지 않은 용기가 있다. "내가 마르셀(알베르틴의 네 살짜리 아들)한테 너무 심하게 대하는 거 같아요?" 하는 시누이 질문에 그녀가 자신에게 퍼붓는 혐오와 경멸의 말들을 복기하지 않고 일장 연설 없이 고대로 되갚아 답해 줄 만큼 현명하기도 하다.

뚱보 여자는 이 아이를 원했고 이 아이가 필요했으며 그리고 그녀는 아름다웠다.(238쪽)

'나에게 중요한 나의 사람들을 과거 왕실의 귀족들처럼 무게 있게 표현해 주는 것'*이 캐서린 오피만의 친구 사랑법이라고 한다. 미셸 트랑블레에게도 그런 위엄 있는 사랑법이 느껴진다. 이 책이 그의 『플라토 몽루아얄 연대기』 첫 권이라니, 이야기가 어떻게 얽히고설키며 무슨 무늬 만들어 갈지 궁금해진다. 뚱보 아줌마는 아기를 무사히 낳았을까, 젊은 뚱보 아줌마들은 아들을 낳았는지 딸을 낳았는지, 테레즈의 사랑 이야기가 있을까, 리샤르나 필립은 어떻게 클지, 혀 짧은 소리 하던 마르셀의 영혼은 어디로, 빅투아르 할머니는 오래 사실지, 전쟁에 나간 폴은

---

* 캐서린 오피의 국내 첫 개인전-미리 보고 가기(리만머핀 손엠마쌤의 간단 설명)에서.

살아 돌아오는지….

아카풀코를 꿈꾸는 뚱보 아줌마에겐 원주민의 피가 흐른다고 했다. 캐나다 소설이라고 상상 속엔 온통 백인들로 차 있었다. 책 속에 삽입된 옛 사진을 보아도 이야기를 다인종 사회로 상상하기 힘들다. 얼마 전, 역시 캐나다 작가인 마거릿 애트우드의 『시녀이야기』를 읽고 <핸드메이드 테일>이라는 TV 시리즈를 보았다. 『시녀이야기 그래픽 노블』에서도 주인공 준의 친구 모이라는 백인이었는데 TV시리즈엔 아프리카계로 설정돼 있는 걸 보고, 아 이렇게 상상할 수도 있는걸 하고 놀랐던 적이 있다. 뚱보 여자의 아카풀코는 맘껏 책을 읽고 어떤 아이든 낳을 수 있는 곳이라고 했다. 무다리여도 좀 부해 보여도 큰 꽃 원피스를 입고 싶으니까 입고 나갔다가 '비대하다'는 소리를 들은 뚱뚱한 내게 조금은 더 유연하고 자유로운 아카풀코 같은 상상 세계를 마련해 줘야겠다고 생각했다. '그녀는 아름다웠다'라고 말해 줄 수 있는 그런 세계를 말이다.

우리가 뭔데*

시간은 과거로부터 흐르는
강물일 뿐이다.**

단정하게 코트를 입은 한 이용자***가 책을 가슴에 감아 안고 걸어온다. 머뭇머뭇 난감한 표정을 지으며 숫자를 적은 쪽지를 내민다. 나는 상호대차****로 나갔다 돌아온 책들을 정리하는 중이다. 허리를 펴고 일어나, 마스크 위 반짝이는 맑은 눈에 눈을 맞추고 안경을 벗어 적혀 있는 청구기호*****를 읽는다.

"저, 이 책 좀 찾아 주세요." 영미문학이다. 그중 소설이다.

"이 근처에 있지 않을까요?"

"그렇죠? 여기 있어야 하는 거죠? 그런데 없어서 여쭤보는 거예요."

---

* 『셰이프 오브 워터』, 기예르모 델 토로·다니엘 크라우스 지음, 김문주 옮김, 김영사, 2018.

** 영화 <셰이프 오브 워터: 사랑의 모양>에서.

*** 어떤 물건이나 시설, 서비스 따위를 이용하는 사람. 도서관 시설을 이용하는 사람을 이용자라고 한다.

**** 원하는 도서가 주로 이용하는 도서관에 없을 때, 타 도서관의 도서를 주로 이용하는 도서관으로 신청하여 대출·반납할 수 있는 자료공동활용서비스.

***** 도서관에서는 소장 도서의 책등에 모두 고유한 기호를 붙여 두는데, 이걸 청구기호라고 한다. 책마다 적용된 고유 주소라고 할 수 있다.

파란 표지에 괴물하고 여자 그림이 있는 책이라고 했다. 동화책은 아니다. 제목을 물어봤다. 『셰이프 오브 워터』. 핸드폰으로 검색해 표지를 확인했다. 작가는 기예르모 델 토로다. 그런데 있어야 할 곳에서 도무지 찾을 수 없었다. 자료검색 결과에 따르면 분명 '대출 가능'하고 그렇다면 지금 이곳에 있어야 하는데, 없다. 월요일 휴관인 그 도서관은 화요일이 가장 바빴다. 배가를 기다리는 책들이 삼백 권 정도 쌓여 있었다.

도서관에서 책은 서가에 청구기호대로 꽂혀 있지 않으면 있어도 없는 존재가 된다. 찾으려는 누군가의 의시가 없다면, 우연이라도 홀연히 제때 스스로 나타나지 않으면, 어딘가엔 있다 하더라도 없고, 없어도 없다는 그 사실조차 알 수 없다. 물론 이런 일이 흔치는 않지만 일어나곤 하니, 그리 심각할 건 아니라도, 나는 그저 봉사자일 뿐이라도, 무엇보다 책을 찾아 읽고 싶은 이용자의 욕구를 충족시켜 줄 수 없어 미안해진다. 무슨 일이 있던 걸까? 소설인데 시나 희곡, 수필에 가 있을까? 눈이 나빠 잘못 보았을까? 누군가 엉뚱한 데 꽂았을까? 하나하나 살펴 찾는 수밖에 없다. 지켜보던 사서 선생님은 나를 배가 대기 중인 책들로 돌려보냈고 그날 일은 그렇게 흐지부지, 한 주가 지났다.

궁금했다. 『셰이프 오브 워터』가 무슨 책이길래 그 사람은 그렇게 열심히 찾았는지, 기예르모 델 토로는 누군지. 2017년 베니스 국제 영화제 황금사자상 수상작이면서 2018년 아카데미 시상식에서 작품상을 받은 영화라 했다. 꽤 유명했을 영화를 나는 전혀 모르고 시간이 흘렀다는 사실이 놀라웠다. 그때 난 뭘 하며 살았길래. 하긴 영화 한 편 보기 힘들어하며 산 지도 오래되긴 했다. 책은 그 영화 원작인가 싶었지만, 영화가 먼저 나온 다음 출판되었다.

책에는 영화에 없는 내용이 있다고 책을 찾던 이는 말했다. 그는 혼자서 영미문학 서가를 다 뒤지고 일본 문학 서가를 다 뒤져서 결국 책을 찾아냈고 바로 대출해 갔다고 사서 선생님께 전해 들었다. 그러면 영화라도 한번 볼까나.

영화 <셰이프 오브 워터>는 주인공 엘라이자가 꾸는 '깊고 부드럽고 따뜻한 꿈' '햇빛이 들지 않는 어두운 물속' 장면으로 시작한다.

'내가 그 이야길 한다면
정말로 한다면 뭘 말해야 할까
나도 궁금하군
그 시대에 관한 얘길 할까?
얼마나 오래전인지
잘생긴 왕자님이 다스리던 시절 같군
아니면 그곳에 대한 얘길 할까?
그 작은 도시는 바다만 가까웠지
주변에 아무것도 없다
아니면, 어디 보자
그녀에 대한 얘길 할까?
목소리를 잃은 공주
아니면 이 사건들의 진실을 말해 줄까?
사랑과 상실에 관한 이야기다
그 모두를 파괴하려던 괴물에 대한 이야기'

왕자와 공주를 말하지만 '백설공주'나 '잠자는 숲 속의 미녀' 얘기는 아니다. '미녀와 야수'에 가깝다. 기예르모 델 토로는 어느 인터뷰에서 모델 같은 할리우드 미녀가 아니고 야수가 굳이 사람으로 변신하지 않고서도 사랑이 이루어지는 영화라고 했다. 이들의 사랑을 파괴하려는 또 다른 괴물이 있다. 지독하게 권위적이고 폭력적인 군인인 스트릭랜드라는 인물이다. 영화와 달리 책은 이 스트릭랜드라는 인물로 시작한다. 첫 장 제목은 '모든 것의 시작'.

한국에서 한 일이 족쇄가 되어 무려 12년 동안이나 어쩔 수 없이 호이트 장군과의 관계를 이어왔다. 스트릭랜드는 협박에 의해 끌어온 이 관계를 이제 끝내 버리고 싶었다.*

리처드 스트릭랜드가 데우스 브랑퀴아라 불리는 괴수를 아마존까지 와서 잡아가려는 이유다. 영화에서는 주인공들을 고문하고 괴롭히는 무서운 군인으로만 나올 뿐인데 책에서는 그가 그렇게 위협적이고 폭력적인 인간이 된 배경과 그의 가정에 대한 설명이 자세하게 나온다. 그가 주인공 괴수보다 오히려 더 괴물같이 행동하게 된 이유는 한국에서의 일 때문이라고 하고 있다. 영화에서는 소련군과 북한군을 죽였다는 대사가 잠깐 지나갈 뿐이었는데 책에서는 여러 번 반복해 '한국'을 말한다. 우리나라에서 '사랑의 모양'이라는 부제를 붙여 개봉한 것으로 알 수 있듯 영화의 중심은 사랑 이야기다. 책에서는 사랑을 막는 잔인하고 폭력적인 인물이 보이는 증오, 혐오, 공포의 뿌리를 좀 더 말하고 싶었던 듯 보인다.

---

* 『셰이프 오브 워터』, 14쪽.

한국에서 호이트의 임무는 남쪽으로 피난하는 수백만 명의 한국인을 돕는 것이었다. 당시 스트릭랜드는 호이트의 보좌를 맡고 있었고 맥아더 장군의 명령으로 부대가 집결해 있던 영동이라는 곳에 있었다.*

많은 할리우드 영화에서 그렇게 하듯이, 더욱이 소설이니, 가상지명을 쓸 수도 있을 텐데, 더구나 판타지임에도, '한국'이라고 말하고 정확하게 '영동'을 가리킨다. 1950년 7월 충북 영동 노근리 사건. 그로부터 12년이 흘렀다고 하니 영화이면서 소설 『셰이프 오브 워터』의 시대적 배경은 1962년 무렵이 된다. 소련이 세계 최초 인공위성인 스푸트니크 1호 발사에 성공해 미국을 비롯한 서방세계 국가들에 충격을 주었던 해는 1957년, 1962년 10월 미국은 쿠바에 미사일 기지를 건설하려는 소련과 군사적으로 대치하고 있었다. 1963년 11월 22일 케네디가 암살된다. 같은 해 12월 17일 우리나라에선 박정희가 대통령에 취임한다. 지금은 2022년이니 60년 혹은 70년 넘는 '얼마나 오래전' 일인지 모른다. 1950년이라고? 내가 전쟁을 겪은 것도 아니고, 아폴로 11호가 발사된 1969년에 나는 태어나지도 않았다. 이 시대 이야기들을 들을 때면 이런 기분이 아니었던가. 창밖으로 지나가는 태풍과 소나기를 바라보고 있는 기분. 밖은 바람에 나뭇가지가 꺾이고 간판이 떨어져 날아가고 개천에 물이 차올라 긴급 안내 방송이 울려도, 내겐 아무 영향이 없으니 얼마나 다행이야, 그때 일이 나하고 무슨 상관이람.

* 『셰이프 오브 워터』, 321쪽.

1950년 6월 한국전쟁, 북한군은 한 달 만에 낙동강 전선까지 밀고 내려왔다. 두 달 만에 전세를 뒤집기까지 대혼돈 시기, 미군 부대가 노근리 경부선 철로와 쌍굴다리에서 북한군이 피난민 속에 잠입했다고 주장하며 폭격하고 기관총을 발사해 민간인들을 살해한 사건이 있었다. 학살당한 이들 속엔 여성과 어린이가 많았다고 한다. 기예르모 델 토로는 스트릭랜드가 지닌 잔혹한 괴물성을 이 사건에서 찾고 있다. 델 토로는 이 사건을 어떻게 알게 된 걸까? 직접 물어보고 싶은 생각이 0.1초 생기다가 이내 마음이 불편해진다. 그 사람들은 억울하지만 이미 죽었고 이제 와 뭘 어떡할 수 있단 말이야? 2004년 시행된 「노근리사건희생자심사및명예회복에관한특별법」 1조에 밝히고 있는 법 제정 목적을 읽어 보았다. '희생자 및 유족들의 명예를 회복시켜 줌으로써 인권신장과 국민화합에 이바지함'이라고 한다. 그렇다고 한다. 관련 영화나 만화를 찾아보다 노근리 주민이 했다는 말을 읽었다. "미군이 왜 쏴! 빨갱이가 쏘겠지." 영동 노근리 쌍굴다리는 대한민국 등록문화재 제59호로 지정되어 있다.

1950년 7월 해남, 당시 아기였던 우리 엄마는 아버지를 잃었다. 그리고 60년 이상 친어머니를 알지 못한 채 살았다. 해남은 북한 인민군을 몰아내고 주민을 지킨다며 우리 경찰부대가 들어왔었다고 알려진 곳이다. 1950년은 그렇게 한 아이에게 너무나 당연한 존재들의 운명을 돌이킬 수 없이 멀리 갈라놓았다. 남겨진 아이는 무엇을 잃어버린지도 몰랐다. 책 『셰이프 오브 워터』는 한국 영동에서의 일을 기억하며 이렇게 적고 있다. '어디에선가 작게 들려오던 속삭임이 끔찍한 비명으로 변했다. 스트릭랜드는 끔찍한 전쟁 범죄를 저지르고 말았다. 이 일이 밝혀진다면 전 세계 신문의 1면을 장식하게 될 것이다. 이제 그는 죽는 날까지 호이트 장군과 한편이 되어야 할 운명이었다.'* 자부심과 부와 명예로 기억되는, 승리한 선의 역사엔 이런 치명적인 구멍이 있다. 영화 첫 내레이션에서 앞으로 전개될 내용이 '사랑과 상실에 대한 이야기'라고 할 때 내 귀에선 사이렌 소리가 들리는 것 같았다. 상상도 못 한 일이었다, 이런 만남은.

영화 <셰이프 오브 워터>를 본 어떤 네티즌의 댓글을 메모해 두었다. '자신이 가진 장애를 물고기맨에게서 보고 동질감을 느껴 사랑에 빠진다기에는 너무 그 과정이 부자연스러웠던 것 같습니다. 미국의 60년대를 알고 있는 사람들에게는 이 영화가 어떻게 느껴질지 모르겠지만 한국인인 저에게는 큰 감동이 되지 못했던 걸까요. 흥행될 만한 요소들(동성애자, 장애인, 흑인, 괴물, 로맨스)을 버무렸지만 감정 이입하기는 어려웠습니다.' 그는 자기 댓글에 답글을 더한다. '추가하자면 요새 동성애, 흑인, 소수자 코드만 들어가면 명작 몰이하는 분위기는 지양되어야 한다고 생각…' 또 다른 누군가는 이렇게 답글을 달고 있다. '동감합니다. 죄 없는 반려묘 모가지는 왜 뜯어 먹는 건가요? 그건 그냥 싸나운 늑대죠. (…) 소수자 다루는 영화 나오면 표 몰아주기식 영화판은 문제라고 봅니다.' 이런 댓글도 있었다. '게이라는 이유로 거의 평생을 억압받고 차별받고 경멸받아 온 자일스가 티브이에 나오는 흑인 인권 운동 뉴스에는 지겹고 듣기 싫다면서 채널을 돌리라는 대사를 하는 거랑 젤다에게는 짧은 명령어만 하던 젤다 남편이 리처드에게는 고분고분한 거

* 『셰이프 오브 워터』, 323쪽.

보고 트어 했어요. 같은 소수자라도 자신에게 해당되는 차별이 아니라면 깊은 관심을 주지 않는 걸 찰나였지만 노골적으로 보여 주는 게 거의 모두 까기 인형 수준.'

나도 보통 한국 사람이라면 이러는 게 "보통"이라 생각하고 있다. 그게 "솔직한" 거지라고들 한다. 포털 영화 감상평 맨 윗줄엔 '호불호가 갈린다고 해서 봤다'고 적혀 있었다. 용감한 사람이다. 스스로 '진보'라 이야기하는 사람도 '페미'라는 말엔 좀 격한 감정을 실을지도 모른다. 자신은 동성애자가 아니고 장애인도 아니며 더욱이 흑인이 아니고 괴물도 아닐뿐더러 로맨스는 19세기 낭만주의자들이나 K-Drama 판타지일 뿐이라고 생각하는 사람들이 다수일 테니. 우리 아들이, 옆집 엄마가, 동료가 그렇게 생각하고 있을 수 있다. 특히나 고양이 좋아하는 울 아들이 그러지 않을까? 흥행할 요소라지만, 우리 남편과 아들은 인물 소개만 듣고도 같이 안 보겠다고 했다.

하지만 나는 자일스가 데우스 브랑퀴아에게 '당신도 외로운가?' 건네는 질문 한 마디에도 쉽게 감정이입이 되던걸. 내가 마치 동성애자이기도 하고 장애인이기도 하면서 흑인 같기도 하고 그래서 괴물인 것만 같다. 그 어려운 일이 일어나는 것을 보면 이 영화는 내게 명작이다. 그래서 이런 영화를 명작이라 하는 영화판이 나는 참 다행이다 싶다. 동성애자인 듯 보이는 자일스는 억압과 차별을 받고 경멸받았다기보다 억압, 차별, 경멸을 받을 거라는 걸 알기에 자신을 표현 못 한, 행동하지 못했던 사람 아닐까. 말을 하지 못하는 주인공 엘라이자와 같은 처지. 엘라이자가 데우스 브랑퀴아를 구하는 걸 도와달라고 하자 그는 말한다.

"우리가 뭔데? 우린 아무것도 아니야! 아무것도 못 해! 그는 인간도 아니잖아."

나는 앞에 영화 댓글러들이 이름 붙여 가리키고 있는 모든 소수자 같은 존재라기보다 이 '아무것도 아닌' 존재라는 말에 화들짝 놀랐다. 나를 가리키며 "너 말이야, 너. 아무것도 아닌 애"라고 하는 것 같았기 때문이다. 이 말에 벽을 쾅 두드리며 엘라이자가 말한다.

"우리가 아무것도 안 하면 우리도 인간이 아니에요."

너무 오래된 시절이어서 왕자님이 있던 때같이 느껴진다는 1960년대, 그 시대는 미국과 소련, 자유민주주의와 공산주의가 맞선 시대. 한국인이라서 감동이 없었다는 그 댓글러가 책을 읽는다면 생각이 달라질 것도 같다. 제2차 세계대전 이후 냉전이 시작되는 최전선에서 가장 폭력적인 전쟁을 몸소 겪어 낸 것이 대한민국이고 전쟁의 잔인함과 그로 인한 상실을 견뎌 낸 장본인들이 할머니 할아버지, 아버지 어머니다. 우리는 아직 그 시대 트라우마에서 벗어나지 못한 채 살고 있다.

데우스 브랑퀴아는 치유 능력이 있다. 그것이 스트릭랜드와 다른 점이다. 상처를 입고 괴물이 된 인간인 스트릭랜드는 증오하고 차별하고 혐오하기를 멈추지 않는 한 불안과 공포에서 벗어나지 못하고 치유받지도 못할 것이다. 그런 의미로 스트릭랜드라는 인물 속에서도 나는 내 모습을 본다. 명작으로 보든 말든 상관없이 제목은 참 적절하다. 달걀을 삶는 물, 목욕물, 데우스 브랑퀴아를 가두는 물, 데우스 브랑퀴아를 살리는 물, 차창에 매달린 물방울, 퍼붓는 빗줄기, 강물 그리고 그 물들이 이곳저곳을 흘러 궁극적으로 닿게 될 바다. 인간의 모습, 그러한 인간이 행하는 사랑의 모습, 정해져 있는 건 없다. 각기 변화무쌍한 다른 모습으로 있을 뿐이다. '나'의 모습도 마찬가지.

가족이라는 착각

코로나 걱정으로 미국에 살고 있는 여동생에게 마스크를 보낸다. 해외로 마스크를 보내려면 가족관계증명이 필요하다. 그 서류에는 돌아가신 아빠 그리고 엄마 밑으로 우리 삼 남매 이름이 적혀 있다. 돌아가신 아빠의 아버지, 어머니는 우리 할아버지, 할머니. 그리고 엄마의 아버지, 어머니는 외할아버지, 외할머니. 인간 복제가 가능한 세상은 아니니까 당연한 이치다. 나 역시 결혼하고 출산하면서 가족을 이루고 남편의 가족과 산다.

아빠가 돌아가시고 엄마가 환갑을 맞던 해 나는 엄마의 가족관계가 '입양'으로 형성된 것이었음을 알았다. 엄마가 엄마를 낳아 주신 엄마를 찾은 것인데 나는 나 자신의 존재가 흔들리는 느낌을 받았다. 그도 그럴 것이 대학에 입학하자마자 한 상담 시간에 가족관계를 할머니·할아버지, 외할머니·외할아버지까지 묻는데, 외할머니와 외할아버지 연세가 터무니없이 젊어서 나만 상담을 진행하지 못한 경험이 떠올랐기 때문이었다. 그렇지만 스물인 당시 내겐 이와 관련하여 어떠한 작은 의심도 일지 않았었다. 평범함을 모두 갖춘 내게 그런 일이? 그럴 리는 없을 테니.

혈연으로는 분명하나 법률로는 남인 엄마의 엄마를 찾아갔다. 마이크 리 감독 영화 <비밀과 거짓말>을 보면 찾은 엄마에게 남편이 없어서 우여곡절은 있어도 엄마와 딸이 만나 새로 관계를 맺고 가족이 되던데, 행인지 불행인지 엄마의 엄마에겐 오랫동안 해로하고 있는 할아버지가 있었다. 집 마루 벽면엔 아들딸들이 이룬 가족의 사진들이 19세기

유럽 전람회장처럼 걸려 있었다.

"아가, 니, 그리 멀리 혼자 살지 말고 이제 엄마랑 와 살지 그러냐."

널찍한 1인 소파에 회장님처럼 앉아서 3인용 소파에서 무릎 위로 손을 가지런히 모으고 있던 엄마에게 90년대 드라마 속 이덕화 같은 목소리로 할아버지가 말했다. 혈연으로도 법으로도 남인 사람이 엄마의 남편이니 아버지 아니겠냐는 투다. 언뜻 듣기엔 따듯한 말이다. 아내의 과거를 모두 알고 이해하며 살았다는 뜻이기도 하니까. 하지만 엄마 입장이 되어 들어 보면 사정은 다르다. 다 알고 있었으면서도 모른 척 살아왔다는 사실을 말해 주고 있으니까.

'이제 와 엄마랑 살라고?' 생각해 볼 겨를도 없이 가슴이 답답해져 온다. 할아버지는, 이거저거 먹이려고 부엌과 마루를 분주하게 왔다 갔다 하는 할머니와 안절부절 앉은 엄마 사이에서 떠날 줄을 모른다. 그 모습이 불편해 엄마가, 밖에서 맛있는 거 먹고 올까요 하고 물으면 할아버지는 밖에서 먹으면 어디서 먹든 무얼 먹든 더러운 것 같아서 나가지 않는다고 한다. 할머니는 할아버지 식사 때문에 엄마랑 여행할 생각은 하지도 못한다. 할아버지가 잠시 자리를 비우면 할머니는 문갑 깊숙이 넣어둔 반지며 목걸이, 화장품 등을 꺼내 엄마 손에 쥐여 주고 얼른 집어넣으라 하기 바쁘다. 떠날 때쯤 할아버지는, 명절에 애들이 어찌어찌 올 예정이니 알고 있으라 한다. 명절엔 피해 오라는 말이다. 아니 자식이 넷씩이나 있는데! 자기 가족들한테는 하지도 못할 소리를!

할머니도 엄마도 말씀이 없다. 할아버지 혼자 얘기가 계속된다. 니 엄니가 나이가 들어서 밭에 나가는 일도 밥하는 것도 힘들다, 네가 들어와서 엄니 도와드리면 훨씬 좋지 않겠냐, 너도 외롭지 않을 거다…. 이쯤 되니 가슴이 뛰고 머리가 어지러웠다. 수영장에서 미끄럼틀을 타고 내려와 물을 잔뜩 먹은 것처럼 빙글빙글 복잡하다. '나도 엄마도 할머니도 좋은 사람으로 남아야겠지? 어떡하든 참아야 할까? 할아버지는 자신이 좋은 사람인 줄 알고 있어. 아니, 아픈 노인이잖아. 불쌍한 사람이야. 할머니가 너무 고생이 심하시겠어. 엄마가 그런 할머니 지켜 주고 싶고 이해하고 싶어 하는데! 아니, 엄마는 자신을 버린 데 대해 화도 나지 않는 걸까? 이 두 노인네가 지키려는 가족들은 보아하니 자기들 살기 바빠 보이는데! 가족이라구? 다들 착각하고 있네!'

착각하고 있는 건지 모르지만 그래도 나는 엄마와 반백 년을 함께한 엄마의 딸인 것만은 확실하다는 생각이 들었다. 당신들이 어떻게 살아왔는지 몰라도 당신들은 잘못 생각하고 있다고, 우리 엄마는 이제 당신들이 버린 불쌍한 딸이 아니라고 이야기해야 할 것 같았다. 나는 용기를 내 숨을 잠시 들이마시고 말했다.

"할아버지, 울 엄마가 뭔 땜에 여기 살아야 하나요? 할머니랑 울 엄마랑 할아버지 진지를 차려 드려야 하는 건가요? 울 엄마가 왜요? 울 엄마한텐 자식이 셋이나 있고요. 다들 배울 만큼 배웠고 잘 먹고 사는걸요!"

할아버지는 잠시 불쾌한 표정을 지었고 할머니는 당황해 일어서시며 늙은 호박이랑 옥수수랑 콩 들을 챙기러 나가셨고 엄마는 할머니가 쥐여 준 반지, 목걸이를 웃방에 가져다 놓고 봉투에 할머니, 할아버지 용돈을 챙겨 넣어 장 위에 올려놓은 후 나와 함께 나왔다.

차 트렁크에 옥수수랑 늙은 호박이랑 콩을 넣어 주시는 것을 보고 엄마는 미국에 있는 둘째 보러 3개월 떠나 있을 거라 인사드리러 왔다고 했다. 할머니는 잘 다녀오라고 엄마 손을 잡았다. 그리고 여태 보지 못한 표정으로 엄마를 바라보고 울먹였다.

"엄마가 정말 미안하다, 미안해…!"

울보인 울 엄마도 같이 울 줄 알았지만 착잡한 표정을 지을 뿐 말이 없었다….

엄마가 미국에 다녀오고 얼마 안 되어 할머니가 돌아가셨다는 전화를 받았다.

그날이 할머니를 본 마지막 날이었다.

엄마와 병아리콩

"엄마, 이젠 외할머니 어디로 모셨는지 알았어요?"

아빠가 돌아가시던 해, 내겐 외할머니가 한 분 더 생겼었다. 엄마는 엄마의 친엄마를 환갑이 되어서야 만나 그분과 칠순 되던 해 또 헤어지게 되었다. 그해 가을, 핸드폰으로 전화가 왔다고 했다. 할머니랑 함께 살고 계시는 할아버지 전화였다. 할아버진 줄 알고 받았는데 웬 중년의 여자였다. 그 집 큰 며느리라고 했다. 어머님이 최근 연락하시곤 한 것 같아 전화한다며 누구신지 여쭤봐도 될까 하더란다. 왜 그러시냐고 하니, 어머님께서 돌아가셨다고, 다리가 아프시다고 했는데 앓지도 않으시고 갑자기 돌아가셨다고 했다. 나는 그래, 누구라고 했느냐고 물었다. 엄마는 그냥 교회에서 알고 지내던 사람이라 하고 전화를 끊었다고 했다.

"어제, 병아리콩으로 콩장을 하려고 물에 불렸어…. 너 병아리콩 해 먹어 봤어?"

내 질문에 대한 대답 대신 엄마는 갑자기 생각이 난다는 듯 무심히 물었다.

"어제 한 다섯 시간 정도 불렸나? 그냥 내놓고 잊어버렸는데 갑자기 어디서 톡, 톡, 소리가 나는 거야. 뭔가 하고 보니 병아리콩이 불으면서 그런 소리를 내더라고…."

엄마는 여전히 식탁 위에서 그 신기한 장면이 벌어지고 있기나 하듯 지그시 내려다보며 엷게 웃었다. 지난번 똑같이 물었을 때는 '그런 거 알아서 뭐 하겠어?' 하셨지. 외할머니를 다시 만났지만 이미 돌아가신 아버지 대신 다른 할아버지와 자식이 넷씩이나 있었다고 했다. 엄마는 그 자식들이 할머니 얕보면 어떡하느냐며 명절에도 날짜를 피해 찾아갔다. 또 찾아갈 때마다 할아버지가 곁에 앉아 계시는 통에 얘기하기도 조심스러웠는데, 할아버지는 산소줄을 하고 계실 만큼 몸도 좋지 않고 나이도 많이 드셔서 어디 좋은 데 가서 맛있는 것 한번 대접하지 못했다.

엄마와 할머니가 만나 무슨 이야기를 하셨는지, 외할아버지는 왜 일찍 돌아가셨던 건지, 내가 외할머니 외할아버지로 알고 있던 분들은 왜 그렇게 늘 차가우셨던 건지, 그 긴 시간 동안 무슨 일이 있었던 건지, 아빠는 알고 계셨던 건지…, 엄마는 이야기해 주지 않는다. 최인훈이 『광장』에서 '삶이란 외로움의 아들'이라고 할 때, 나는 엄마를 생각했다. 엄마는 내가 아는 사람 중에 가장 외로운 사람이었다.

엄마와 외할머니댁에 갔었다. 할머니가 무겁게 들려 보내 주신 김치 맛이 그렇게 시원했었다. 그때도 그 할아버지가 계셨고, 할머니와 함께 엄마까지 당신 수발드는 사람 취급해 언짢았고, 외할머니는 밖에까지 나오셔서 엄마 손을 잡고 미안하다 울먹이셨다. 두 사람은 왜 좀 더 일찍 만날 수 없었던 걸까…?

입춘도 지났고 우수가 코앞인 오늘, 아침부터 쌀쌀한 바람이 불며 눈이 내린다. 나는 엄마에게 받아온 병아리콩을 넓적한 락앤락 용기에 담고 콩이 잠길락 말락 하게 물을 부어 놓았다. 창을 꼭꼭 닫아 바깥소리가 아득하다. 라디오도 틀지 않았다. 조용히 책을 읽고 또 읽었다. 콩이 두 배도 더 되게 불었는데 소리가 없다. 한 세배쯤 된 것 같은데도 조용하다. 남편에게서 전화가 왔다. 전화를 끊고 조바심이 나서 책도 눈에 들어오지 않는다. 차를 한 잔 마시며 창을 열어 환기를 시켰다. 궁금한 마음에 그릇 가까이 귀를 대고 가만히 들어 보았다.

무슨 소리가 들렸다. '톡, 톡…'이 아니라 저 멀리서 여러 가지 모양의 작은 돌들이 물결에 구르는 소리 같았다. 이름이 병아리콩이어서인지 그 소리가 무척 천진난만하다. '엄마답네…. 이렇게 작은 소리가 들린 거예요? 이 소리가 그렇게 신기했어?' 마음이 편안해지면서 웃음이 난다. 이제 뭔지 알았다 싶었을 때, 갑자기 '딱!' 하는 소리가 난다. 가만있다가 또 '딱!' 소리가 제법 크다.

"아이스크림은 추운 겨울 밖에서 먹어야 맛이지!" 꼬꼬마 시절, 엄마와 손 호호 불어 가며 아이스크림을 먹었었다. 아이스크림은 너무 차 깨물지도 못하고 입술로 녹여 먹느라 정신이 팔렸을 때 갑자기 엄마한테서 '딱!' 하는 소리가 나서 깜짝 놀랐다. 엄마는 젊었을 때 껌 좀 씹을 줄 알던(?) 여자였다. '딱!' 씹던 껌으로 작게 풍선을 만들어 입속에서 이로 찰지게 터뜨리는 소리였다. 놀란 날 보고 깔깔 웃었지, 어린 내 눈에도 예쁘고 착한 우리 엄마….

"이거 한번 먹어 볼래? 이번에 내가 담근 김치야."

"엄마, 할머니 김치처럼 시원하네. 근데 엄마 김치 맛이야. 그러고 보니 엄마도 나이 드니 외할머니 닮아 보여요."

"그럼, 얼굴 긴 것이…, 그렇지?"

엄마는 그저 궁금했을 뿐이라고 한다. 어떤 사람인지 알고 싶었는데 만나 보았으니 그걸로 됐다, 엄마가 있다는 걸 알았으니 됐다고 한다. 엄마가 이렇게 이야기를 마칠 때마다 내 마음은 조금 슬프다. 때때로 쓸쓸하다. 그래서 그 병아리콩이 불으면서 낸다는 소리가 그렇게 궁금했는지도 모르겠다. 공을 들여 기다려서 들은 그 소리는 내게 말하는 듯했다. 엄마는 괜찮아. 너도 슬퍼하지 않았으면 좋겠구나.

인간사라는 것이 생각하면 할수록 복잡하고, 얽히고 꼬이지 않은 것이 어디 있을까? 오늘 종일 불린 병아리콩을 이제 에어프라이어에 구워서 남편, 아들과 함께 야식으로 먹을 생각을 하니 기분이 좋다. 뭐, 그런 게 사는 거지 싶다. 엄마는 늘 이렇게 살아가는 편에 서 있다.

너의 마음속엔 강이 흐른다.

sí

밤새 피운 모닥불이 따뜻하고 포근하던 그때, 그의 목소리를 들으며 스스로 산을 올라야겠다고 결심하던 그 순간이 다시 보고프다. 참 별것 아닌 것 같은데 참 별일이기도 하다, 나를 찾는다는 것. 나는 그를 만나 함께 잘살고 있는 것이 그래도 내가 한 일 가운데 제일 잘한 일이라 믿고 있다.

너의 마음속엔 강이 흐른다

늦잠을 잤으면 얼른 일어나 씻고 나가기나 할 것이지 피아노는 왜 치고 싶었을까. 작곡가이면서 피아니스트인 이루마는 친절하게도, 자신이 새로 제작한 악보집을 당근마켓에 올린 뒤 직접 고객과 만나는 홍보 동영상을 찍고, 기와 라이브에 나와 벤츠 자동차 옆에서 우아하게 피아노를 연주했을 뿐이다. 그 모습을 본 내 잘못이지. 에코백과 연필, 스티커 등과 함께 검은 벨벳으로 감싼 이루마 악보집을 샀다. 그 돈이면 아들 녀석 좋아하는 한우가 두 근이지만 이루마가 직접 쓴 악보라고 해서 슬쩍 사버렸다.

바이엘부터 혼자 쳐서 배운 피아노, 나 피아노 좀 치네 할 실력이 절대 아닌데, 짧은 곡 한 곡 제대로 못 치는 솜씨라도, 그저 악보만 보고 똥땅거릴 뿐이어도, 뭘 보고 치는가에 따라서 소리 자체가 달라진다고 느끼곤 했다. 그래 한번 쳐보고 싶은데, 우리 집은 저기 어디 숲속이 아니니, 아침 시간 피하고 밤 시간 피하면 평일엔 칠 시간이 없다. 어차피 늦었고, 집안이 조용한 것이 어머님도 계시지 않은 듯하여 눈곱만 떼고 피아노 앞에 가 앉았다. 무슨 애 엄마, 며느리, 아줌마가 이런가. 이 시간에 일어났으면 식구들 밥은 뭘 먹일지부터 챙겨야 하는 거 아닌가. 그런데 나는 이루마의 <River flows in you(너의 마음속에 강이 흐른다)>를 친다, 두 번 세 번…, 이번 치는 곡이 끝날 때까지만 고요하기를 바라며.

머피의 법칙이라고, 있다. 이런 조급한 마음을 품는 건 잘못이다. 애초에 바람이 없었으면, 여지없이 들리는 문 열리는 소리가, 분주한 몸짓,

발자국 소리가 아무렇지도 않을 것 아닌가. 작고 규칙적인 발소리 위로 불규칙하게 부스럭거리는 소리가 벌써 공기를 바꾸고 마음을 흔들어 놓고 있다. 머리는 이미 혼란해져 그 속에서 음표들은 갈 곳을 잃고 이리저리 부딪힌다. 건반 위 손은 멈췄다.

내가 생각해도 나는 좀 유별나다. 시어머니가 피아노 친다고 구박하길 해, 동네에서도 부지런하기로 유명한 착한 분인데, 왜 이러는 걸까. 시어머니는, 그냥, 뭘 하든 이쁘다고 엉덩이 토닥여 주는 우리 할머니가 아니고, 노래를 부르고 있으면 함께 불러 주는 울 엄마가 아닐 뿐이다. 그 사실 하나로 누가 뭐라지도 않는 죄책감에 이내 소심해진다. 휴일에도 일 나간 남편하고 아침 하셨을 테지 싶어 식사는 하셨는지도 묻지도 않고 작은 소리로, 나가요, 하고 뛰쳐나왔다. 이럴 땐 좀 배가 고프지 않아도 되련만, 어김이 없다. 물 한 모금 마시지 못해 살이 마르는 착각을 한다. 어이가 없다. 함께 산 지 20년이 넘었다. 그런데 어떻게 이러지?

비가 온다더니 하늘이 흐리다. 그날도 이런 날씨였지. 신촌 어느 카페에서 대학생이던 남편과 나는 처음으로 서로의 가족 이야기를 했다. 동아리 엠티에서 밤새 피워 주던 모닥불의 따스함에, 앰프, 스피커 등 고장 난 모든 전자 기계들이 그의 손에만 가면 신기하게 살아나고, 가식 없이 자신감 넘치는 모습에, 나는 그를 이미 의지하고 사랑하고 있었다. 그와 결혼할지도 모르겠다고 생각하고 있을 무렵이었다. 그의 어머니를 뵌 적이 있다. 4월이었다. 동아리 선후배를 모아 북한산 능선을 타러 갔다. 그가 주도한 모임이었다. 출발은 순조로웠다. 별안간 우박이 떨어지고 비가 내렸다. 춥고 무서운 시간이 이어졌다. 무척 미안했던 그는 모두를 이끌고 자기 집으로 갔다. 소박하고 따뜻한 아파트였다. 작은 접시들이 빼곡했던 밥상은 정겹고 맛났다. 그는 말했다. 부모님 모두 시골 분이시라고, 초등학교밖에 안 나오셨고 농사짓던 분이시라고. 아버지는 서울로 상경하셔서 건설 현장에서 일하시는데 정말 열심히 사신 부지런하고 우직한 분이라고. 이유는 모르겠다. 그 이야기를 들을 때 결심했다. 이 사람과 결혼하자. 맛있던 그 음식을 계속 먹을 수 있을 거 아냐.

생각해 보니 나는 호랑이 굴에 자기 발로 들어간 토끼였다. 어머니는 남편에게 "토끼 같은 마누라랑은 살아도 곰 같은 마누라하곤 못 산다" 하시고 남편은 "전 토끼보다 곰이 더 좋아요" 하니 외견상 나는 곰이지만, 처지를 보면 딱 '호랑이 굴에 토끼'가 맞다. 어머니 아버지는 음식을 짜게 드셨다. 몸을 많이 움직이시고 땀을 많이 흘리는 분들이니 보통 사람보다 조금 짜게 드시는 게 당연한지도 모르겠다. 나는 싱겁게 먹는다. 갑을 관계가 분명한 식탁 위에서 이성은 통하지 않는다. 상황을 받아들이느냐 거부하느냐가 가정의 단란함을 보장한다. 생각해 보면 별것도 아닌 일이다. 음식을 싱겁게 만들고 짜게 먹는 사람이 소금이나 간장을 더해 먹으면 된다. 반대로 짜게 만들고 싱겁게 먹는 사람이 물을 부어 먹든지 조금씩 먹으면 된다. 문제는 누가 기준이 되느냐다. 호랑이와 토끼가 함께 식사하고 있다면 기준은 호랑이가 당연하다. 호랑이 입장으로는 토끼를 잡아먹지 않고 살려 두는 것만으로도 이미 엄청난 호의요 관용이다. 토끼가 그 자리에서 자신의 입맛까지 존중받길 원하는 것은 난센스. 나는 짠 국에 물을 부어 먹는 것조차 눈치가 보였다. 내가 그렇게 눈치 좋은 사람이었나 싶을 만큼 틈나면 눈치를 보는 시간이 그렇게 흘러가고 있었다. 짜다, 맛없다, 안 먹는다, 표현할 수 있는 사람은 시아버지가 유일했다.

시아버지는 정말 말이 없는 분이었다. 책을 읽지 않으셨고 티브이 뉴스에 나와 하는 기자들 말은 배운 사람들 말이라 늘 옳았다. 그런 시아버지는 배운 사람인 친정 부모님을 만나는 상견례에 오시며 검게 그을린 팔뚝에 커다란 밴드를 붙이고 나타나셨다. 문신을 가리기 위해서다. "애는 튼튼하니 잘 가르쳐 주시면 뭐든 잘할 겁니다." 교장 선생님이 맏딸을 시집보내는데 하신 말씀이다. 아무래도 좋았다. 사랑하는 사람과 결혼해서 알콩달콩 살 수 있고, 양가 부모님이 서로 배려하시는 모습도 좋았고, 시부모님이 찾아간 무당은 우리 둘 궁합이 너무 좋다고 했고, 심지어 무당이 잡아 준 날짜에 성당 예약도 비어 있고(이건 마치 제종교 통합의 행운이었다), 비가 온다는 일기 예보에도 불구하고 거짓말같이 화사하게 쏟아지는 햇살 속에서 나는 결혼을 했다.

결혼하고 나니 사람들 질문이 변한다. 신혼집은 어디냐, 전세냐 뭐냐, 몇 평이냐, 시아버지는 뭐 하시는 분이냐. 그런 질문들에 어느 순간 나는 친정은 목동이고, 작고 전세지만 방배동에 신혼 짐을 풀었다고, 시아버지는 건축업을 하는 분이라고 얼버무리기 시작했다. 그리고 참여정부 교육정책에 힘입어 학생 부족했던 대학원 박사과정에 운 좋게 들어갈 수 있었던 데 불과하면서, 서울대 다니냐고 하면 나는 겸손한 척 마지 못해 그렇다고 말하곤 했다. 모두 거짓말은 아니었다. 그래도 늘 뭔가 설명을 더 해야 오해가 없을 것만 같은 마음에 편치 않았다.

어느 날 한잔하신 시아버지는 말씀하셨다. 네가 좀 배웠다고 시댁 무시하고 그러면 죽을 줄 알어(충청도 분이시라). 서운해서였는지 아님, 무서웠는지 눈물이 났다. 내가 누굴 무시한다고, 잘난 게 뭐 있어서 잘난 척을 했겠느냐고. 시댁에서의 생활은 좀 과하게 비교해 보자면 이랬다. 감사하고 기쁜 순간 아무 무장도 없이 뛰어들고 보니 사람들이 내게 총을 겨누는 듯했달까. 그날 이후 미묘한 긴장은 계속되었다. 종일 채널 에이, 티브이 조선, 엠비엔을 돌려 보시던 시아버지는 며느리의 정치적 신념에 늘 혀를 차고, 시어머니는 김치를 함께 담지 않는, 어떡하든 외식하려 하고, 집안일 안 하려는 며느리가 서운했지만, 우리 집은 평화로웠다. 나는 나의 기대대로 맛있는 음식을 계속 먹을 수 있었고, 시어머니는 고집스러운 시아버지를 좋아하고, 남편은 미련한 곰 같은 마누라를 사랑했다.

오늘 시어머님이 끓여 주신 미역국을 먹었다. 너무 짜서 물 반 컵을 바로 부었다. 그래, 긴 시간이 지났다. 호랑이 굴에 들어간 토끼가 가끔은 곰이었던 건 아니었을까 싶어지기도 한다. 부디, 힘 빠지니 저렇게 맘대로구나, 생각하시지만 않았으면 싶다. 나는 여전히 눈치를 본다. 그래도 틈만 나면 피아노를 친다. 이루마의 <너의 마음속엔 강이 흐른다>를 친다. 문득 내게 호의적이기만 했던 세계가 순간 등을 돌린 듯했던 그때 그 시간으로 가본다. 아주 가끔은 그 시간 앞으로 되돌아가고 싶다고 생각한다. 결혼하기 전으로 돌아가고 싶다기보다, 어느 동네 사는지, 무슨 일을 하는지, 얼마나 배운 사람인지, 그런 것들이 아무 의미 없었던 그 시절이 그립다. 밤새 피운 모닥불이 따뜻하고 포근하던 그때, 그의 목소리를 들으며 스스로 산을 올라야겠다고 결심하던 그 순간이 다시 보고프다. 참 별것 아닌 것 같은데 참 별일이기도 하다, 나를 찾는다는 것. 나는 그를 만나 함께 잘살고 있는 것이 그래도 내가 한 일 가운데 제일 잘한 일이라 믿고 있다.

사슴은 이리를 두려워하고,

이리는 호랑이를 두려워하고,

호랑이는 큰 곰을 두려워한다.

(유종원(柳宗元)의 「비설(羆說)」에서)

봄날의 물김치

알배추, 감자, 오이, 사과, 쪽파 그리고 배추, 이렇게 6개 사와, 엄마, 알배추 맞죠, 그래 알배추, 배추 사 오라고, 니 김치엔 배추 넣어서 하려고, 그럼, 끝에 배추는 뭐고, 언제, 알배추라고, 맞다, 다시마가 없어, 다시마 사 와, 그럼 알배추, 감자, 오이, 사과, 쪽파 그리고 다시마네, 아니, 그러면 6개밖에 안 되잖아, 다시마 더했으니까 7개 아냐, 아니, 엄마가 감자, 오이, 사과 그리고 뭐더라, 감자, 오이, 사과, 음, 음, 그래 쪽파 그리고 알배추, 다시마는, 그래 다시마까지, 그러니까 다시마에 알배추, 감자, 오이, 사과, 쪽파 사 가면 되죠, 응, 그래.

칠십 대의 엄마는 오십 대인 내게 물김치 만들어 주마 하고 시장 볼 것을 일러 준다. 이젠 보일러 온도를 이십 도에 맞추지 않고 둬도 추워지지 않는 완연한 봄이다. 살랑살랑 부는 봄바람에, 지리산에서 따왔다는 취나물, 나무 두릅, 땅두릅, 세발나물, 돌나물, 달래, 냉이가 채소가게 맨 앞줄에서 눈길을 끈다. 오랜만에 시장 나오기도 했고, 또 오랜만에 엄마를 보러 가니, 맛있는 걸 많이 사보리라. 하지만 웬걸, 감자와 사과를 사니 시장 가방이 단숨에 무겁고, 그렇게 힘들게 목록을 받아 놓고서 적어놓지 않아 깜빡하는 바람에, 한 단에 이천 원 하는 쪽파를 사러 가다 금세 포기, 사천 원을 주고 사버리고, 이제 서둘러 가볼까 하던 잠깐 사이 한 단에 삼천 원짜리를 발견하고서도 물리질 못한 채 지났다. 엄마랑 점심에 해먹을 수제비를 두 그릇 사서 담고 따뜻하게 막 부쳐 나오는 모둠

전 만 원어치를 산 뒤 마지막으로 다시마를 산다. 오천 원짜리와 구천 원짜리가 있다고 한다. 나는 고민하지 않고 구천 원짜리 주세요, 그리고 작은 소리로, 엄마 드릴 거니까 좋은 걸로 한다. 시장통 사장님들은 이 말에 마음이 좀 약해지는 경향이 있다. 팔천 원만 달라고 한다. 왠지 비싸게 샀을 것만 같던 쪽파 생각이 금세 좋은 다시마 생각으로 바뀌어 기분이 좋다. 벚꽃이, 개나리가 환하게 핀 길을 타고 크로스오버 그룹 포레스텔라의 <인 운 알트라 비타In un'altra vita>를 목청껏 따라 부르며 엄마에게 내려가는 길은 뭐라 더 보탤 수 없이 봄날이다.

수제비를 끓여 점심을 먹고 엄마는, 마루 소파에 앉아 보라 하고 바닥에 노랑, 파랑, 빨강, 보라, 분홍 색색이 곱게 섞인 코스모스, 모란, 해바라기, 장미꽃 모양 수세미를 펼쳐 보인다. 3개월에 하나씩 쓰고 버리면 한 3년은 쓸 수들 있을 거야, 왜 그렇게 바쁘게 많이 뜨느냐고 물으니, 혹 엄마가 죽더라도 생각하면서 한참은 쓰지 않겠나 싶어서란다. 엄마, 요즘은 그 수세미 실도 플라스틱이라 안 썩는다고 친환경 실들 쓰던데 하니, 그럼 아껴서 써서 더 오래 쓰면 되지 않냐 한다. 창밖도 봄꽃이 천지지만 집안에도 고운 꽃이 만발이다. 한참을 이리 놓고 저리 놓으며 사진을 찍다 보니, 얼른 김치 담가야지 한다.

감자 껍질을 벗겨 찐다. 배, 사과하고 양파를 함께 갈아 물김치에 풀어 넣을 거란다. 흰 주머니에 고추씨와 마늘 편, 생강 편을 넣어 놓는다. 나는 쪽파를 다듬는다. 쪽파 때문인지, 운전을 오래 하고 밥을 많이 먹어서인지 아님, 봄 햇살 때문인지 심히 졸리다. 나는 졸면서, 넌 고춧가루 든 거 싫어하니까 뽀얗게 담글 거야, 파프리카라도 빨간색 나는 걸 좀 넣을까 그러면 빛깔이 고울 테니, 파프리카는 안 되겠다 그럼, 당근을 넣으면 되겠다 하는 엄마 목소리를 꿈결처럼 듣는다. 엄마는 당근을 굳이 꽃 모양으로 만들어서 얇게 썬다. 그러면서 얘기라도 조잘거리라며 나를 자꾸 식탁 의자에 앉아 있으란다. 내가 잠깐 일어난 사이 고양이 코코가 자리를 잡고 빤히 쳐다보기에 나는, 거기 이 언니 자린데, 툴툴거리면서 다른 편 의자에 가 앉는다. 엄마는 논란의 그 알배추를 소금에 절여 놓고 무, 오이를 썰어서 쪽파와 당근 썬 것과 섞는다. 풋고추도 송송 썰어 넣었다. 감자, 배, 사과, 양파를 함께 갈아 놓은 걸 채에 물을 부어 가며 거르고 소금 간 살짝, 그리고 빼먹지 않고 액젓을 조금 넣어 준비한다. 절인 배추를 씻어 듬성듬성 썬 걸 통에 깔고, 저며 놓은 채소들을 골고루 버무려 넣은 뒤, 준비한 물을 붓는다. 고추씨, 마늘, 생강 편을 넣은 다시 주머니를 가라앉힌다. 가져가는 동안 새지 말라고 얇은 비닐을 덮은 뒤 뚜껑을 잘 덮어 둔다. 소금 한 톨, 물 한 방울까지 나만을 위한 엄마의 맞춤 물김치 완성.

나는 오늘 엄마 사랑을 미국에 있는 여동생 몫까지 더해 혼자서 듬뿍 받았다.

(…)

"이번 김치는 달라. 장미 잎이라도 넣으신 거?"

"아니, 갓이야, 갓!"

엄마

당신과 나의 레시피

아 왜 이렇게 안 들어가, 자는 남편 방해 안 되게 유튜브를 좀 보자고 이어폰을 꽂는다는 게 휴대폰에 찔러 넣어야 할 납작한 부분을 내 귀에 열심히 밀어 넣으려다, 눈이 나빠져도 너무 나빠진 거 아니냐, 구멍을 왜 찾질 못해, 툴툴거리다 보니 떠오른다. '난 아이폰이 아니잖아.' 휴대폰 없으면 아무것도 못 하지 싶다. SF소설에서처럼, 내가 죽으면 이 휴대폰이 나를 재현하지 않을까.

밤이 깊어 늦은 시각이지만, 새벽에 일어날 자신이 없어서, 쇠고기 미역국을 끓이고 있다. 내일은 시어머니 생신이기 때문이다. 오미크론인가 뭔가 코로나가 진정되질 않아서 식당 예약은 생각하지도 못하고 지난 일요일 가족들과 함께 집에 모여 식사했다. 질병관리청의 권고를 따르지 않는 격이긴 하지만 작년 팔순 잔치도 줌으로 벌인지라 어른들 모두 백신 접종 완료했으니 약간의 모험을 해보기로 했다.

집에서 식구들 모여서 밥 먹는 게 모험이 되었다. 아직 연락들 없이 조용한 걸로 보아서 그래도 무사히 치른 것 같아서 안심이다. 늘 그렇듯이 생신 당일 아침 미역국은 20년 넘게 내 차지다. 이런 꾀, 저런 꾀 부리며 치르는 맏며느리인 나의 미션. 애 아빠가 아침 일찍 출근하니 새벽 다섯 시에는 일어나야 할까 걱정을 하던 차였는데 어머님, 이번엔 일찍 일어나 밥 차릴 필요 없다고 편의를 봐주신다. 그래도 생일 미역국은 남이 끓여 주는 걸 먹어야 하고 친구분들, 친척분들 전화하셔서 며느리 끓여 준 미역국 먹었느냐고 하실 것이기에(어머님은 먹었다고 얘기하마, 하시지만) 미역국만은 끓여 놓자고 생각했다.

시어머니가 가장 즐기는 미역국은 '맹미역국'. 그냥 물에, 많이 자르지 않은 미역을 가득 넣고 끓여 국간장에 꾹꾹 찍어 먹는 미역국이다. 시집와서 처음 미역국을 끓일 땐 그걸 몰랐다. 유튜브에서 백종원도 '미역만 끓이면 맛이 없잖아요' 했듯이, 생일엔 그래도 쇠고기미역국이다. 내가 아는 가장 맛있는 건 엄마표이기에 엄마가 끓여 주시던 레시피대로 최선을 다했었다. 쇠고기를 참기름에 달달 볶다가 불린 미역을 넣고 또 볶다가 물을 부어 끓이고 마늘 조금 넣고 국간장으로 간을 한다. 울 엄마의 철학은 '미역국은 끓이면 끓일수록 맛있다'이고 미역이 보들보들 풀어질 때까지 끓이는 것이 핵심이었다. 가정 시간에도 혈액순환에 좋은 미역 성분은 지용성이라 참기름을 넣고 볶아 주면 영양을 충분히 섭취할 수 있다고 배웠다. 많은 사람이 요리 사부로 모시는 백종원 유튜브도 봤다. 그 사람 음식 간은 늘 의구심이 인다. 그만큼의 국에 그만큼의 국간장과 액젓을 부으면 말도 못 하게 짤 텐데, 그가 시키는 대로 끓였더니 "정말" 맛있더라는 댓글이 넘치고, 그의 레시피가 각광을 받는 걸 보면, 다른 사람들 입맛이 나보다 짠 것일 테지 싶다. 그것도 참 이상하다. 주변 사람들과 밥을 먹어 보면 나보다도 더 싱겁게 먹는 사람들이 많던데.

그런데 시어머니 미역국 레시피는 엄마와 어쩜, 단계 단계가 그렇게 다 다른지. '맹미역국'을 좋아한다는 건 국을 무엇으로 끓이던 맑고 깨끗해야 한다는 거다. 고기로 끓이되 고기 잡내가 있으면 안 된다. 특히 핏물을 제대로 빼지 않고 끓여서 떠오르는 불순물은 '극혐'이다. 국물의 참기름 냄새는 떫다. 미역은 너무 풀어지지 않게 약간 "꼬득"해야 한다. 그래야 국간장에 "꾹꾹" 찍어 먹을 때 맛있다. 그 맛을 위해선 고기든 미역이든 참기름에 볶지 않는다. 중요한 건 쇠고기에서 불순물이 나오지 않게 하는 것이다.

먼저, 양지머리를 준비해(반드시 한우여야 특별히 정성을 드러내 보일 수 있고 제일 맛있는 건 사실) 찬물에 담가 붉은 핏물을 되는대로 빼서 채에 건져 물기를 제거해 두었다가 끓는 물에 한 번 데쳐 낸다. 데쳐 낸 고기를 찬물에 깨끗이 씻어 다시 물기를 빼 두고 깨끗한 냄비에 물을 가득 끓인다. 반드시 "끓는 물에" 고기를 듬성듬성 썬 덩어리째 넣는다. 물에 굵은 소금을 약간 넣고 40분 이상 오래 끓인다. 맑은 국에 맑은 기름이 조금씩 뜨기 시작하면(이 기름을 더 고소하게 즐기려면 사태를 섞는다) 고기를 꺼내 손으로 찢거나 칼로 썰어 다시 국에 넣고 끓이다가 불린 미역을 넣고 함께 끓인다. 불린 미역도 찬물에 한 번 씻어 넣는다. 미역에서 충분한 맛이 우러나야 하긴 하지만 너무 끓이면 안 된다. 마늘을 조금 넣고, 국간장은 좋아하시니 생각보다 더 넣고(백종원보다는 조금 넣고) 액젓을 넣어 주면 더 깊은 맛이 있어 좋다.

엄마도 시어머니도 백종원도 모두 한결같이 하고 넘어가는 말이 있다. '미역국에는 마늘을 넣지 않아도 된다지만 그래도 조금 넣어라.' 미역국에는 마늘을 넣지 않아도 된다고는 도대체 누가 그런 건지. 지금까지 미역국에 마늘 안 넣는 사람을 보질 못했다. 끓여 보면 고깃국에 미역만으로도 맛있긴 하다. 그래도 한국 사람이라 그런 건지 왠지 뭔가를 까먹은 기분이 드는데 그래서 그때 마늘을 넣는다. 여기서 중요한 건 마늘을 넣느냐 안 넣느냐가 아니라 '조금 넣어라'인 것 같다. 마늘이 약간 과해지면 매운탕 같지 않게 순식간에 마늘 국이 되어 버리는데, 뭐, 이것도 마늘을 좋아하는 사람들에겐 용서가 될지도.

가끔 엄마에게 미역국을 끓여 드릴 때면, 엄마가 나를 좀 낯설게 느끼는 게 보인다. 그러면서 덧붙이신다. 남동생 생일 때 미역국을 끓여 줬더니 입맛에 안 맞는다고 하더라고, 결혼해 입맛이 변한 것 같다고. 그럼요, 엄마. 우리 몸은 수시로 변하는걸요. 그러면 엄마도 그런다. 그렇지, 나도 예전 같지 않아. 엄마, 나이 들어서 솜씨가 변했다는 얘기가 아니라 하면 엄마도, 나도 그래 하는 말이야, 옛날 나하고 지금 나하고 다르다고.

내가 시어머니 미역국을 끓일 때와 엄마 미역국을 끓일 때 레시피는 각각 정말 다르다. 간도 다르다. 엄마를 위해서는 참기름을 거짓말 같이 넣고 볶다 끓이고, 시어머니를 위해서는 맑은 고깃국물을 우리는 데 정성을 들인다. 나도 핏물 익어 부옇게 떠오르는 불순물 나오는 건 싫으니, 고기 핏물을 충분히 빼는 데 노력한다. 그래도 내가 끓인 미역국은 시어머니와도 엄마와도 다르다. 나는 시어머니도 아니고 그렇다고 엄마도 아니니까 말이다. 무엇보다 내가 좋아하는 미역국은 생홍합이 들어간 미역국이다. 엄마가 끓여 준 것도 아니고 시어머니가 끓여 준 것도 아닌 내가 끓인 홍합 미역국. 내가 좋아하는 건 나밖에 할 줄 모른다. 엄마들은 그저 남이 해주는 밥이 맛있다고 하지만 내 생각은 다르다. 내가 나를 위해 해먹는 음식이 제일 맛있다. 원치 않는 음식 억지로 먹을 필요가 없으니까.

시어머니가 가장 좋아하는 음식이 무언지 여쭤본 적이 있다. '곱창전골'이라고 하셨다. 곱창 손질할 줄을 몰라서 해드릴 수가 없는 음식이다. 맛있는 곱창전골을 만들 수 있는 사람이 온 가족, 온 동네 통틀어 어머님밖엔 없다. 한번은 아주 괜찮은 밀키트를 발견해서 집에서 쇠고기 곱창전골을 해먹은 적이 있었다. 어머니도 맛있다고 하시고 아들, 남편 모두가 좋아했다. 그래 몇 번을 더 사와 봤더니 식구들 관심이 급격히 식는 것을 느꼈다. 언제 어떻게 만들어도 적힌 레시피로 끓이기만 하면 누가 끓여도 맛있는 음식인데 왜일까. 아들에게 물어봤다. 늘 똑같기 때문인 것 같다는 답을 들었다. 뭐지. 기성복과 핸드메이드 차이 같은 건가. 그럴 수도 있겠다, 생각이 든다. 아들은 또 더해 말한다. 똑같은데 할머니가 끓여 주신 것과 엄마가 끓여 준 게 다르다고.

집밥이란 건 생각보다 변화무쌍하다. 만드는 사람도 누구를 만나고 어디를 다녀오고 무슨 생각을 하고 무엇을 알게 되었는지에 따라 또, 그날의 기분과 몸 상태에 따라 다르고, 먹는 사람에 따라 다르고, 그날그날 형편에 따라 다르다. 먹는 사람도 그에 못지않아 어제와 오늘이 다르다. 이렇게 생각하고 보면 같이 음식을 먹었는데 그 음식이 맛있다는 것은 얼마나 일어나기 힘든 일인지 모른다. 집 밖에서 맛있는 걸 먹으면 사랑하는 사람이 함께하지 못한 게 안타까워지는 건 그 때문인지도. 맛있다는 것의 본질은 변함없는 정량과 순서로만 표현된 레시피로 설명할 수 없는 것이라는 생각이 들면서 그게 엄마 노릇, 딸 노릇, 며느리 노릇 하며 사는 재미인가 싶어 웃는다.

문득, 빵을 먹을 때 우유랑 먹어야지 탄산음료랑 먹는다며 남편과 싸웠다던 선배 언니는 지금 어떡하고 있을까 궁금해졌다. 빵 먹을 때면 우유랑 탄산음료를 함께 챙길까? 아님, 삼겹살 한번 먹으려면 불판을 식탁에 올려 구우면서 같이 먹자 아니, 사방에 기름이 튀니 따로 구워 먹자고 다투시던 우리 엄마 아빠처럼 지금도 여전히 때마다 싸우고 있을까? 언니가 자신이 좋아하는 우유를 포기하진 않았을 거다. 그러길 바란다. 우유가 없을 때 가끔은 탄산음료를 마시며 빵을 먹고 있으려나?

청바지 가랑이가 터진 날

청바지 가랑이가 터졌다. 몇 년 입지도 않았는데. 밖으로 나갈 수가 없어 온종일 갇혀 있었다. 집에 가는 길이 문제다. 그래도 운전해 집에 갈 거란 건 안심이다. 엄마도 말씀하셨다. "참, 겁 많았는데, 운전 배운 건 잘한 일이야." 살찌고 몸 버리는 지름길, 기름 한 방울 나지 않는 나라, 지구 온난화, 환경파괴, 과소비 등등 양심에 걸리는 게 많긴 하지만, 운전은 내게 여러 면으로 도움이 된다. 시댁에서 사는 내게 유일한 사적 공간이고, 어디 멀리 가거나 무거운 걸 실을 때, 여기저기 바쁘게 오가야 할 때, 엄마가 오실 때, 엄마가 보고 싶어 갈 때 그리고 여행 갈 때, 누구 도움도 필요 없이 자유롭다. 심리적으로도 차는 나를 보호하는 최소한의 울타리이며 내가 움직여 갈 수 있는 지상 최대 가능성을 보장한다. 오늘만 해도 천만다행이지 않은가 말이다.

"차, 차주분 것이네요."
"네, 제 차예요. 보험도 제가 내구요."

좌회전만 잘해 두 블록만 가면 우리 집인데, 늘 지나다니는 곳에서 빨간 내 차를 흰 차 한 대가 뒤에서 들이받았다. 열 시 반이 넘은 늦은 시간, 좌회전 차선은 연말 공사가 한창이었고 직진 차선 푸른 신호에 멀리 앞에서 수신호로 좌회전하라고 해서 따른 것이 원인이었다. 엇갈린 신호에 나는 천천히 움직였고 직진 신호를 보고 온 터라 반대편 차량을 확인해야 해서 더욱 조심했다. 이런 정신없는 통에 있는지도 몰랐던 뒤차는 휘두르는 수신호만 보고 그대로 돌다가 내 차를 받아 버렸다. 내가 갑자기 섰기 때문이라며 뒤차를 타고 있던 여자는 우는소리를 했다(더 큰 차를 타고 있으면서 문이 열리지 않는다고 나와 보지도 않는다). 블랙박스를 보니 충격으로 내 차는 앞으로 밀렸고 뒤차 제동거리엔 여유가 있었던 것으로 보였다. 이 시간에 무슨 바쁜 일 있다고 그랬을까 싶어 옆자리를 보니 중학생 정도 되는 딸아이가 가방을 앞에 메고 타고 있다.

곧 집에 가 쉴 수 있다는 생각에 한껏 풀려 있었는데 '쿵' 소리에 갑자기 모든 것이 혼란한 긴장 속이다. 나이도 들 만큼 들었으면서, 차 소유주이고 잘못한 것도 없으면서, 나는 무기력한 어린아이가 돼 버렸다. 제일 먼저 남편에게 전화했다. 이때쯤이면 집에 거의 다 왔겠지 싶었는데 뜻밖에 술자리 중이란다. 술도 잘 못 먹는 사람이 하필 이때…. 차 문을 열고 나가 서니, 아, 바지가 찢어졌지, 몇 발자국 떼다, 입고 있던 점퍼를 벗어 허리에 둘렀다. 자전거를 타고 바람같이 뒤차 운전자 남편이 와서는 여자를 잠깐 나무란다. 여자는 또 우는소리. 공사장에서 수신호 하던 사람은 자기는 할 일 했다며 얼른 사진 찍고 차 빼란다. 112에 신고했더니 경찰이 왔다. 교통경찰을 보내 주겠다고 한다. 보험회사에 전화했다. 걱정되었던지 남편이 다시 전화를 걸어와 차 빼지 말고 경찰과 보험회사 올 때까지 기다리라고 한다. 그 바람에 보험회사 직원은 위치 파악을 못 해 늦었다며 투덜댄다(난 아무 말도 안 했는데). 갑자기 누군가 번개처럼 달려와 옆에 섰는데 보니 아들내미다(아빠가 전화를). 경찰은 시간이 시간이니만큼 음주 측정을 한다. 술 마실 시간도 없는 사람처럼 안 보이나 싶다가, 그래도 술 마실 사람은 있는, 인간으로 보는구나 싶어 속으로 웃었다. 사진을 찍고 차 이동시키고 이것저것 묻고 블랙박스 확인하고 하던 보험사 직원은 그런다, 아들이 듬직하시겠다고, 아들에게 대고는, 엄마가 밥도 차려 주고 해야 하는데 이렇게 불러내니 엄마 참 무능하다고. 위로 차원의 말인 것 같긴 한데 도대체 무슨 말인지. 한번 보고 말 사람. '나'를 완벽하게 밀어내는 말. 그는 회사원이다. 굳이 감정 소모, 시간 소모하지 않겠다는 의례적인 태도. 하지만 나는 카톡으로 보내온 고객만족도 조사엔 그에 대해 '매우 만족'으로 평가했다. 생각해 보니 나를 아들 혼자 두고 늦게까지 일하고 들어오는 워킹맘으로 알았나 보다 싶었기 때문이었다. 놀랐을 운전자 딸아이가 걸려, 자기들도 대인 둘을 내 보험으로 걸겠다고 하기에, 그러라고 했다. 수신호 엉망으로 준 사람은 알아보지도 않았다. 그는 일용직 노동자일 뿐이겠기에. 아이고, 렌터카라고 시커먼 LPG 차를 가져다준다(쓰라는 거야, 말라는 거야). 사건 하나에 담당자가 여럿 붙었다. 나는 혼자서, 서로를 알지 못하는 열 명 정도 사람들이 바쁘게 걸어오는 전화를 받았다. 각각 각자의 일만, 각자의 말만 했다. 내가 기계도 아닌데, 법정에 있는 것도 아닌데, 나만 정해진 답을 찾지 못하고 있는 듯한 기분이다. 그렇게 로봇처럼 일하는 걸 보면 당신들 일자리도 곧 없어지겠네. 차를 다 고치고 나니 내 편 보험회사가 전화해 온다. 상대방에서 우리 보험으로 대인 둘을 걸었는데 내가 병원에 안 가고 대인 보상을 안 받으면 상대편도 100% 자기들 과실로 해서 대물 보상을 해준다고 한다고. 상대편 보험회사 전화를 받고 알았다, 내 편이라던 보험회사 직원은 결국 자기 회사 편을 들고 있던 것인걸. 자기 회사가 돈 쓰지 않게 막은 셈이다. 내내 마음에 걸리던 그 아이와 엄마가 다치지는 않은 것 같아 다행이다 싶으면서도 진통제 먹고 버틴 요 며칠은 누구를 위한 것이었을까 허탈하다. 그래서 사고를 낸 그이의 남편은 가장의 위신을 세웠을까.

"모르는 소리 마, 누나." 그가 대답했다. "우리는 평생 이렇게 살게 될 거야. 절대 벗어나지 못할 거라고."

나도 지지 않고, 우리가 더 나이 들고 강해지면 머지않아 우리 일을 할 수 있을 거고, 그럼 돈을 모아 자유를 살 수 있을 거라고 우겼다. 윌리엄은 말이 쉽지, 그렇게 간단히 이루어지지는 않을 거라고 단정했다. 게다가 자유를 돈 주고 살 생각도 없다고 했다. 우리는 이 문제를 날마다 입씨름을 벌였다.*

'나는 노예로 태어났다'는 문장으로 시작하는 해리엇 제이콥스의 『린다 브렌트 이야기』를 읽고 있었다. 흑인 노예 린다의 돌아가신 아버지는 아이들이 스스로를 노예가 아니라 인간이라고 느끼도록 가르쳤다고 한다(그렇지, 노예는 인간이 아닌 거다). 린다는 가족들과 함께 어머니 옆에 묻힌 아버지의 초라한 무덤을 찾았고 그 앞에서 자유에 대하여 동생과 생각을 나누고 있다. 그 속에 나도 끼어 생각해 본다. 린다 얘기처럼 노예가 일하고 돈을 모아 자유를 산다는 건, 불가능하다. 이 책엔 린다 남동생이 쓴 글도 부록으로 붙어 있다. 그에 의하면, '법이란 인간의 의지'다. '자유는 인간에게 그들이 마시는 공기'와 같아서 '이를 갈취한다면, 이는 사람을 죽이는 살인죄를 저지른 것이나 다름없다.' 자유란 돈을 주고 살 수 있는 것이 아니어서 이를 위해 일한다는 것 자체가 성립되지 않는다. 누군가 자유롭지 않다면 그는 자유를 빼앗긴 것이다. 자유를 사지 못하는 건 잘못이 아니다. 자유를 빼앗는 게 나쁜 거다. 그래서

---

* 『린다 브렌트 이야기, 어느 흑인 노예 소녀의 자서전』, 해리엇 제이콥스 지음, 이재희 옮김, 뿌리와이파리, 2011, 21쪽.

좋은 주인을 만나고 그의 도움을 받아 자유인이 된 린다는 고마운 마음에 그 주인을 위해 다시 일하면서도 자유를 스스로 얻을 수 없었음을 안타까워했다.

'린다 브렌트'는 글을 쓴 해리엇 제이콥스의 가명이다. 나는 메이슨 커리가 쓴 『예술 하는 습관』이라는 책을 통해 그녀를 알게 되었다. 1852년 가까스로 자유인이 된 제이콥스는 생계를 위해 일해야 했다. 다섯 아이들을 돌보면서 짬을 내어 자신의 이야기를 적은 것이 『린다 브렌트 이야기, 어느 흑인 노예 소녀의 자서전』이다. 과거가 너무나 끔찍해 그것을 불러낸다는 것이 고통스러웠어도 노예제도 철폐라는 대의를 위해 의무감으로 쓰기 시작했다고 한다. 그녀는 '간간이 집안일에서 한 시간 정도 뺄 수 있을 때마다' 기록을 해 4년 후 1857년 글을 완성했다. 어렵게 출판되었어도 남북전쟁 발발로 글은 빛을 보지 못했다. 번역자의 설명을 보면, 오랜 세월 노예 여성이 직접 쓴 실화로 인정받지 못하고 다른 사람이 쓴 소설로 오해받기도 하다가 1981년이 되어서야, 편집자와 주고받은 편지문과 입증자료가 발굴돼 제대로 알려졌다고 한다. 해리엇 제이콥스가 자서전을 쓰도록 독려한 에이미 포스트에게 보낸 편지에는 '사랑하는 친구, 짬을 내서 몇 자 적어요.' '갑자기 류마티스가 도져서 침대에 누워 있어야 했어요.' '아직 윌리스 부인에게는 내가 책을 쓰고 있다는 사실을 말하지 않아서 부인은 내가 쓴 글을 단 한 줄도 못 봤어요' '작은아이와 큰아이들을 돌보고, 이런저런 집안일을 처리하다 보면 생각하거나 뭔가 쓸 시간이 거의 없어요.' 같은 말들이 씌어 있다. 이런 말들을 읽고 있자니 왠지 남 이야기 같지 않다. 해리엇 제이콥스에게 자유를 주고 생계를 유지할 수 있게 해준 윌리스 부인이 우리 시어머니 같다는 생각이 들기도 했다. 나도 결혼하고 이십여 년 동안 늘 짬을 내야 책도 읽고 글도 쓰고 공부도 할 수 있었고 주부로서 아이 핑계, 집안일 핑계를 늘 달고 살았다. 해리엇 제이콥스는 이어서 말한다. '그렇지만 비록 허술하긴 해도 내가 할 수 있는 한 최선을 다하고 있어요. 물론 그 정도로는 부족하긴 하지만요.' '내 초라한 책은 겨우 고치를 틀고 앉은 유충 상태예요. 물론 나비로까지 만들 자신은 없지만, 초라한 벌레들 사이에 끼어 다만 조금이라도 살금살금 기어갈 수 있다면 그걸로 만족할 거예요.' 그렇게 저 멀리 먼 곳에 한 '노예'의 이야기가 내게로 와 일상과 겹쳐 펼쳐졌다.

남부법은 '재산'인 노예는 재산을 '소유'할 수 없다고 규정하고 있다. 할머니가 어렵게 모은 돈을 주인에게 빌려준 것은 순전히 주인의 명예를 믿었기 때문이었다. 하지만 노예 소유주가 노예에게 명예 따위를 신경 쓸 리가 있겠는가!*

이런 시절을 리하르트 다비드 프레히트라는 독일 철학자는 그의 책 『의무란 무엇인가』에서 이렇게 설명하고 있다.

옛날에는 상업 활동과 최소한의 조세 의무, 그리고 모욕과 절도, 폭력, 살해 같은 공공연한 범죄 외에는 모든 도덕이 개인적 사안이던 시절이 있었다. 남자들은 아내와 자식을 수시로 때렸고, 노예를 학대했으며, 농부와 노동자를 착취했고, 아동 섹스를 즐겼지만 아무도 상관하지 않았다. 그 시절의

* 『린다 브렌트』, 15쪽.

경제력은 오늘날과 비교하면 미미했고, 출시된 상품은 한 줌밖에 되지 않았으며, 문맹률은 높았고, 대다수 사람의 주거지는 형편없었다. 게다가 굶주림은 수많은 빈자들의 일상적 동반자였고, 의료와 위생 상태는 참담했다. 때는 1776년 미국 독립선언문에서 최초로 인간의 기본권, 즉 자유로운 백인 남자의 기본권을 선포한 시대이자, 1789년 프랑스 국민 의회가 마찬가지로 남자들에게만 국한된 만인의 인권과 시민권을 가결한 시기였다. 우리는 더 이상 그런 시대에 살고 있지 않다.*

프레히트는 단서를 붙인다. '최소한 서방의 자유민주주의 국가는 그렇지 않다'고. 이제 선진국에 진입했다고는 하지만 서방 자유민주주의 국가가 아닌 우리나라는 어떨까? 2021년 여성가족부 보고서에 의하면 16.1%의 여성이 평생, 과거 또는 현재의 배우자, 연인 등 친밀한 관계의 파트너로부터 신체적, 성적, 정서적, 경제적 폭력 및 통제 피해를 하나 이상 경험했다고 한다. 응답자들이 경험한 폭력 유형은 정서적 폭력이 61.9%로 가장 높았고, 신체적 폭력 52.5%, 성적 폭력 27.9%, 통제 21.8%, 경제적 폭력 10.5% 순이다. 보건복지부 보고서에 따르면, 2021년 집계된 아동학대 신고 접수 건수는 총 53,932건으로 전년 대비 약 27.6% 크게 증가했다. TV 프로그램 <꼬리에 꼬리를 무는 그날 이야기>에 소개된 '칠곡계모사건'처럼 제대로 신고접수 되지 않는 사례들도 여전히 많을 것이다. 철학자 한병철은 『피로사회』에서, 오늘날 사람들은 '신자유주의적 성과 주체'로 '주인 없이 자유의지로 자기를 착취한

* 『의무란 무엇인가, 마스크 시대의 정치학』, 리하르트 다비트 프레히트 지음, 박종대 옮김, 열린책들, 2021, 37~38쪽.

다는 점에서 절대적 노예'라고 하면서 이들을 '노동자-노예'라고 한다. '노예제라는 극단적 상황을 상정하지 않더라도 늘 상황과 문제와 선택에 부딪히며 사는 모든 이에게 나는 어떤 사람인가라는, 너무 평범해서 잊기 쉬운, 그러나 중요한 질문을 던져 보게 한다'는 『린다 브렌트』 번역자의 말이 지금 여기 있는 내 마음에 날아와 콕 하고 박힌다.

뒤차가 내 차 범퍼를 박을 때 약간 충격을 느끼긴 했어도 어디가 아프다 할 겨를이 없었다. 2주간 병원 치료는 기본이고 몸이 나을 때까지 대인 보상을 받을 수 있다고들 했다. 누구는 무슨 검사도 했다더라, 지금 당장은 몰라도 내일 자고 일어나면 반드시 아플 것이다, 처음엔 괜찮았는데 한 달 있다가도 후유증이 나타나는 일도 있더라, 사고 낸 사람한테 받는 것도 아니고 보험회사에서 처리하는 거니까 이참에 어디도 가봐라, 뭐가 이익이다…. 사고처리 하러 나온 보험회사 직원도 울 아들내미도 내가 "지금 당장은 아프지 않은 것 같은데…" 하고 말하면 내 입을 막으려고 한다. 사고 운전자 남편은 내게 다가와 예의 있게 말했다. "어디 아프신 데는 없으신가요? 내일 심하게 아프시지 않았으면 좋겠네요." 사고를 내놓고도, 당한 너도 책임 있다면서 꾀병 부리지 말라고 이렇듯 먼저 엄포를 놓는데 블랙박스 영상도 있으니 끝까지 따지고 들면 사람들 말하는 대로 하지 못할 이유도 없어 보였다.

자본주의는 … 우리의 섬세한 의식에까지 침투해서 … 우리를 소비자로 만들어 버린다. 우리는 가격을 고민하고 요금을 비교하는 데 점점 더 많은 시간을 쓴다. 타인의 희생으로 이익을 얻기 위해서다. … 끊임없이 가격을 비교하면서 저렴한 상품을 구입할 수 있는 사람이 그렇게 할 수 없거나 하지 않는 사람에게 손해를 떠넘김으로써 이득을 본다. … 이것은 신뢰의 생성을 막는다. 사기꾼의 품성이 상을 받고, 성실함과 지조는 벌을 받는다. … 가격상의 이득은 능력보다는 요령에 따른 것으로 지속적인 불신과 불공정의 감정을 낳는다.'*

나는 화가 났다. 내게 달라붙은 십여 명 정도의 노동자-노예들, 나와 같은 처지 평범한 사람들에 대고 짜증을 냈다. 분노 아닌 나의 소심한 불평은 아무 소용이 없다. 며칠 진통제를 먹고 한 시간 거리를 걸었다. 내가 사고를 낸 것도 아닌데, 사고가 나기 전까지 솟던 내 운전에 대한 자부심은 온데간데없이 사라져 렌터카에 오르기도 싫었다. 혼란한 감정에 힘들긴 했어도 병원에서 하는 검사로는 나오지도 않을 통증이었다. 그들 앞에서 설명할 수 없지만 발생하고 있는 무질서에 이성적으로 행동할 수는 없을 것 같았다. 이때, 프레히트의 『의무란 무엇인가』의 한 구절이 흥분을 다독이기 시작했다.

내 윤리의 중심은 내 행동이나 내 말에 있는 것이 아니라 내가 나 자신을 어떤 사람으로 여기고, 어떤 사람으로 보고자 하느냐에 있다.**

차 수리가 끝났다고 연락이 왔다. '내 편'을 강조하는 보험회사 직원은 내 결정을 기다렸다. 사고를 낸 당사자와 한마디도 해보지 못했다. 그 사람의 남편이란 사람이 이리 뛰고 저리 뛰고 하던 게 너무하다 싶어, 그

---

* 『의무란 무엇인가』, 130쪽.

** 『의무란 무엇인가』, 96쪽.

렇게 잘잘못을 따지고 싶으면 하자고 했다. 그리고 생각해 봤다. 내 편 보험회사 직원들은 어떡하든 회사가 돈을 쓰지 않도록 애를 써야 하는 회사원들이다. 그들은 '내 편'이 아니고 '회사 편'이다. 사고를 낸 사람은 차가 자기 차도 아니고 보험도 자기가 든 게 아니다. 잘못은 자기가 했지만 자기가 책임을 지지 않는다. 자기가 키우는 개가 남의 집 아이를 물었다면 개가 아니라 그 개를 재산으로 소유한 주인이 책임을 지듯 말이다. 나는 운전하던 엄마와 그 옆에 그 모든 걸 지켜보던 아이를 걱정했지만, 그 또한 그 집 가장이 책임질 일이고 그렇게 현명하다면 운전자 보험도 있다는 걸 알겠지. '그들 편' 보험회사 직원도 결국은 자기들 '회사 편'에서 일할 것이다. 어떻게 된 게 박기는 자기가 박아 놓고, 내 것보다 큰 자기 차가 더 부서져서, 거기다 뒤가 아니라 앞이라, 모르긴 몰라도 수리비가 더 나올 것이다. 내 기분 좀 나쁘다고 질질 끌다가 내 감정, 내 시간 소모가 너무 클 것 같았다. 가족들은 내 몸 걱정하기 바쁘지만, 이 상황을 빨리 끝낼 수 있는 주도권은 나에게 있다는 결론에 다다랐다. 그럴 수 있는 건 바로 내가 내 차의 소유주이며 보험료를 내는 주체이기 때문이다. 나는 사고를 낸 운전자가 할 수 없는 일을 "할 수 있다". 내겐 그런 선택을 할 수 있는 '자유'가 있다. 상대편 대인 보상 담당자는 내가 대인 보상을 받지 않기로 했다는 말을 듣자 작게 웃었다. 모두 자기들 셈에 뿌듯해할 것만 같다. 아들은 지나가는 말로 그랬다, 엄마는 '호갱'인 거냐고. 아, 진짜, 어깨도 오십견 후유증에 좋지 않은데 어디 아프기라도 하면 어쩐다?

린다가 '사랑할 대상을 선택할 자유가 있고 법의 보호 아래 가정을 지킬 수 있는 그대들'*이라 한 대상에 나도 분명 속하리라. 지붕 아래 좁은 공간에서 안네 프랑크보다도 더 꼼짝하지 못하고 숨어 있던 린다가 나를 격려하며 말해 준다. '모든 게 다 잘되고 … 무사할 거라고, 무조건 그렇게 믿기를 잘했다. 언제나 의심하는 것보다는 믿는 게 낫다'**고.

---

* 『린다 브렌트』, 86쪽.

** 『린다 브렌트』, 168쪽.

그래 좋아

숫자만 나오면 사고가 멈추는 느낌이야. 오빠는 공대니까 숫자 편하지? 꼭 그럴 필요도 이유도 없을 텐데, 그놈의 숫자만 들으면 생각도 느낌도 멈춘다니까. 이불값이 할인이 얼마고, 이걸 사은 쿠폰으로 바꾸면 얼마고, 안 바꾸면 얼마고, 나는 도무지 하나도 모르겠더라고. 결론은 우리가 저 이불을 싸게 살 수 있었단 얘기지? 진짜 그런 건지, 원. 비싸도 샀어야 했어. 나야 니들 쓰고 남은 거 쓰면 되지, 어머니가 그러시더라고. 뭐라고? 나? 빵 먹을 거냐고? 응, 나 빵 먹고 싶어. 커피도 마시고. 저번처럼 연어하고 아보카도 들어간 브런치 먹어도 돼? 아침에 어머님 해주신 미역국에 콩나물하고 애호박 부침 먹고 나오긴 했지만, 오랜만에 밖으로 같이 나왔으니까. 거참, 다시 봐도 비싸네. 포인트도 있고 통신사 할인도 있는데 괜찮겠지? 2층에 자리 있는지부터 봐야 한다고? 같이 봐. 아님, 얼른 나가게. 위드 코로나라고 칸막이해 놓고 거리두기 안 하나 봐. 자리가 많다. 달달한 거 먹고 싶다고? 오빠 좋아하는 거? 음, 시나몬 설탕 묻힌 패스트리? 그래 나도 좋아. 근데, 이것도 맛있는데, 마스카포네 크림 든 크루아상. 그래, 완전 살찌는 거. 괜찮다고? 오늘 많이 걷자고? 그래 좋아. 번호표 자리에 놓고 기다리면 나온대. 잠깐, 오빠, 포크랑 가지러 갈 때 마스크 써야 해. 내가 갈게. 냅킨 내가 가져올게. 물티슈도 있어. 끙, 아이고 허리야. 자, 여기. 나 먹어 보라고? 이거 나 먹으라고 잘라 논 거구나. 오빠도 먹어 봐. 어느 게 더 맛있어? 오빠가 고른 게 더 맛있네. 마스카포네는 아니네. 아까 미용실에 매일경제 신문이 꽂혀 있더라고. 오빠 머리 자를 때 기다리면서 읽었어. 그러고 보니 머리 자른 거 찬찬히 안 봤네. 너무 많이 자른 거 아냐? 금방 자란다고? 아니, 머리숱이 너무 없어 보일까 봐. 아직 괜찮다고? 다른 아저씨들보단 젊어 보인다고? 그래 좋아. 맞아, 말라서 걱정이지, 배가 많이 안 나와서 좋아 보여. 내 배는 찔러 보지 마. 그만. 보지도 마, 진짜. 아까 말이야, 차에서 말한 거, '요소수'에 대한 기사가 있더라. 맞아. 우리 경유차 폐차하길 잘했지. 그런데 트럭 같은 거, 디젤이 많지 않아? 경운기도 디젤이고. 하긴 외제 차 껍데기에 경유차인 경우도 많던데. 매일경제엔 '요소수 넘어 요소비료 대란'이라고 기사가 났더라고. 그래, 뜬금없이 기후 회의가 있었다는 게 생각나고, 기후 위기 하니까 전에 먹거리에 대한 어느 신부님 출장 강론도 생각나고. 먹는 건 최대한 자급자족할 수 있어야 한단 내용이었거든. 여기저기서, 특히 중국에서 수입들을 하는데 기후가 급변하면 농사 못 짓고, 그러면 아무리 중국인들 자기들 먹을 게 없는데 수출 안 하고, 그럼 먹을 게 없어진다고 하더라고. 나는 어머님이 엄청 큰일을 하신 거다, 그런 생각을 했거든. 공터에 어떻게든 상추, 당근, 호박, 오이, 고추, 깨를 기르셨으니까. 그러니까, 우리도 지금 아파트 말고 단독으로 이사 가서 어머니처럼 많이 짓는 거 말고 조금씩 우리 먹을 것만 지을 텃밭 있는 그런 집으로 가서 살아야겠다, 그런 생각을 했어. 할 줄도 모르면서 그런다고? 오빠 믿고 그러는 거지. 우리, 지방에서 커피집을 할까? 오빠가 바리스타 하는 거 배워 봐. 북카페가 아니라 책 대여해 주는 도서관 같은 커피집을 하는 거지. 서점 말고. 단독 집에 오빠 작업실도 하나 만들고. 지난번 캠핑 테이블이랑 만들었듯이 이거저거 만들고, 맞아, 자전거 수리도 해주는 할아버지 어때? 할 일이 뭐가 그리 많냐고? 아니, 놀다 시간 남으면 쉬엄쉬엄하는 거지. 아직은 바쁘지. 그러게 말야! 오빠 사진 안 찍은 지 오래됐지. 그때 월급 제대로 못 받는 바람에 카메라도 다 팔고. 하나 남았다고? 필름도 있다고? 지난번에 현상하는 거 다 버려 버렸던 것 같은데. 이참에 디카를 사. 아니 왜 싫어? 필름이 나오기는 해? 그래, 좋았지. 생각난 김에 어떡하든 찍어 봐. 자꾸 잊어버리는 게 많으니까 남는 건 기록밖에 없는 것 같아. 우리 보려고 그러는 거지. 뭐, 남들도 봐줄 만하다 그러면, 뭘 하나 만들어 봐도 되고. 일흔 살까지 일할 거라고? 오빠가 그렇게 할 거라면, 그러고 싶다면, 할 수 있겠지. 행인지, 불행인지, 우리나라 출산율이 1명이 안 된다잖아. 그래 좋아. 우린 일하는 게 노후 대책이니까. 프랑스에서는 정부에서 정년 연장하자 그런다고 막 데모하고 그런다던데. 어떤 게 더 복지인지 모르겠어. 우린 몇 살까지 살게 될까? 사는 거 힘들어. 힘들어 죽겠어. 하하, 죽겠다 말 안 해도 생각보다 빨리 갈 테니 그런 말 넣어 두라고? 너무 맞는 말이네. 재밌어. 응? 경도인지장애. 그것도 확정 진단 범위 살짝 밖이라 그 연령대 분들 평균보다도 위인데 엄마가 좀 걱정이 많잖아. 우리 힘들게 할까 봐 미리 조심하려고 검사하신 거래. 의사 선생님 화법 있잖아. 그저 수치만 이야기했을 뿐인데 엄마가 생각이 많으셨나 보더라고. 날 닮아서. 자꾸 자기는 들어도 모르겠다고, 네가 잘 들어 둬, 막 그러시는데, 나도 겁이 살짝 나더라니까. 어머니 이 하나 혼자 가서 하고 오신 거 알아? 치과 가신다기에 혼자 가셔도 되냐고 그랬더니, 놔둬라, 얘, 그러고 휼쩍 다녀오시더라고. 엄마랑 어머니랑 성격을 반반 섞으면 참 좋을 텐데. 엄마가 날 닮아서 혼자 있는 걸 더 좋아하잖아. 응? 그렇지. 엄마가 날 닮은 게 아니고 내가 엄마 닮은 거지. 맞아. 재밌는 말을 들었어. 치매 유전자라는 게 있다네. 엄마 혈액검사 결과도 뇌 MRI도 아무 이상 없다는 데 치매 유전자가 있다는 거야. 그러면서 가족병력을 물어보는데 백지인 거지. 외할머니, 아흔 넘으셔서까지 교회 성경 공부도 하시고, 요리도 잘하시고, 말씀도 또랑또랑하신 거 돌아가시기 전 잠깐 봤잖아. 그거 한 가지 사실만으로 너무나 안심이 되더라. 재밌는 게 얼마 전 거기, 돌아가신 외할아버지께서 치매가 있으셨고 혼자되신 그분 있잖아, 살아계신 외할머니도 지금 치매시라는 거야. 유전자가 환경에 따라 바뀌는 건 아니지? 그래도 건강하게 비교적 오래들 사신 편이긴 하다. 아무려면 어때 그래, 뭐 좋아. 아보카도랑 연어 나왔다. 여긴 케이퍼가 같이 안 나오네. 빵이 잘 안 잘려. 오빠 먼저 먹어. 이거 나 주는 거야? 그래 좋아.

착각 시리즈

흔한 한국도서관 책 분류법,『한국십진분류법』. 책들을 크게 아홉 개 주제로 나누고 장르, 시대 등등으로 세분한다. 사람들이 가장 많이 찾는 문학은 800번, 심리학이나 철학책을 보려면 100번 서가로 가야 한다. 사람들이 생존을 위해 찾는 자기계발서, 처세, 재테크, 부동산 책들은 300번에 있다. 역사와 위인을 찾아보려면, 특히 외국 여행지를 알아보려면 900번으로 가야 하고, 자연과학은 400번, 문화·예술·스포츠는 600번, 도서관이랑 좀 거리가 먼 듯한 종교는 200번, 언어가 700번 그리고 기술과학이 500번에 있다. 백과사전이나 독서, 도서관, 컴퓨터 코딩같이 아홉 가지 주제에 들어가지 않는 것들은 000번대다. 문체부에서 2021년 실시한 「국민 독서실태 조사」를 보면, 성인이나 학생이나 위 주제들 가운데 문학을 그중에서도 소설을 제일 좋아한다. 실제로 그렇다. 도서관에서 베스트셀러 소설들은 종이책이든 오디오북, 전자책이든 예약이 풀로 다 차 있다. 도서관 사서는 대부분 여자고, 이용자도 그렇고, 책 읽는 곳엔 여자가 많다. 조사에서도 나온다. 지역별로 약간의 차이는 있지만 대체로 우리나라에선 여자가 남자보다 책을 조금 더 읽는다. 도서관에서 책을 꽂고 있다 보면 보인다. 여자 친구 손에 끌려다니는 남학생도 있고, 980번대 여행 관련 서가엔 젊은 사람들과 여성들이 많다. 티브이 책 소개 프로그램이나 강연을 주로 남자들이 맡아 하는 것과는 대조적인 현상이다. 테이블에서는 시험공부 같은 걸 하고 있고 소파에선 어르신분들이 책을 읽고 있다. 사회가 고령화돼 가고 있어서인지 어르신이 점점 더 느는 것 같다. 그분들도 옛 대하소설을 즐겨 찾아 읽는 걸 보면 소설을 따를 건 없어 보인다. 그래서인지 처음 도서관 봉사를 할 때는 애들 책에 치이고 소설책에 치였다. 그러다 어느 순간 보니, 500번대 책들이 뒤죽박죽일 때가 많았다. 기술과학이나 자연과학이나 비슷한 성질(이과, 나는 문과) 아니냐, 그렇게 생각했었다. 자주 대출되는 책들을 보니 이해가 갔다. 500번 기술과학 주제에는 510번대 의학이 있고, 590번대에 생활과학이 있다. 독서실태조사에 의하면, 독서의 목적은 성인과 학생들에게 모두 '새로운 지식과 정보'이며 독서는 '살아가는 데 도움'이 된다고 하니 이런 필요에 직접적으로 응답하는 주제들이 500번대에 있었던 것이다. 한편, 책을 읽는 사람들이 책을 읽게 된 동기는 그냥 '읽고 싶어서'라니까, 살라니 필요해서 읽긴 읽는데 읽고 싶은 건 사람들 사는 이야기, 이야기인 셈인가. 세상 책들은 이렇게 사람이 필요해 사람이 지은 것이니 지극히 다양하다 할지라도 십진분류법 정도 카테고리면 웬만한 건 다 구분해 넣을 수 있을 것만 같다. 하지만, 그건, 착각이다.

1. 성탄절이 다가오던 어느 해 12월, 나는 은평구 작은 도서관에서 책을 정리하고 있었다. 오십견이 있어 팔을 높이 올리질 못하던 때였지만 주로 아이들이 이용하는 도서관이어서인지 다행히 책장이 높지 않아 운동 삼아서 하기 좋았다. 생각해 보니 책을 책꽂이에 정리하는 작업은 좋은 운동이었다. 세 시간 정도 하다 보면 땀도 조금씩 나고, 앉았다, 일어섰다 반복하니 어찌 보면 전신운동이었다. 사서들이 손목에 보호대를 감고 있는 모습을 많이 보긴 하지만 내 생각에, 한꺼번에 많이 들지만 않으면 걷기까지 포함한 좋은 운동이다. 하지만 청구기호 작은 숫자와 글

자가 헛갈릴 때가 많다. 5와 6, 심지어 8자까지 자세히 보지 않으면 똑같이 보인다. 그럴 땐 안경도 바꿔 써보고 핸드폰 확대기도 써보고 틀리지 않으려고 노력을 많이 한다. 그런데…, 분명히 기술과학 500번대에 있는데 이 책이 떡하니 있는 거다.

'아내를 모자로 착각한 남자*? 언젠가 김영하가 팟캐스트에서 읽어 줬던 글 같은데, 이 책이 왜 여기 있지? 8자를 잘못 보고 여기다 꼽았나?'

나는 용감하게 책을 뽑아 들고 문학 쪽으로 몸을 틀었다. 사서 선생님이 왜 그러냐고 날 불러 세웠다. 문학에 꽂아야 하는데 여기다 꼽은 것 같다고 말씀드리니, 어디 한번 봅시다 한다. 제목이 전혀 기술과학적이지 않아 본인도 잠시 당황하더니 청구기호가 513.8(신경계 질환)인 걸 보고 꽂혀 있던 자리는 틀리지 않았다고 확인해 준다. 책을 뒤집어 보니, ISBN 번호에 내용분류기호인 마지막 세 자리는 400(자연과학)이다. 팟캐스트에서 김영하 작가는 이 책에 대한 설명을 꼼꼼하게 해줬을 것이다. 작가 이름은 올리버 색스이며 그는 신경학 전문 분야 의사이고 그런 그가 자신이 진료한 환자들에 대하여 기록한 글을 엮은 것이라고. 그런데 나는 들으며 졸았든지 아니면 다른 일을 하고 있었나 보다. 이 책『아내를 모자로 착각한 남자』안에 제목과 같은 첫 번째 글을 소설가 김영하가 읽어 주었다는 사실만 가지고 나는 정말 엉뚱하고도 재밌는 단편

* 『아내를 모자로 착각한 남자』, 올리버 색스 지음, 조석현 옮김, 이정호 그림, 알마, 2016.

소설로 기억한 것이다. 국립중앙도서관 홈페이지에 들어가 「국가종합자료목록」을 검색해 보니 대부분 도서관에서 513.8로 구분해 잘 정리하고 있었다. 그래도 반가운 건 그 와중에 몇 안 되는 도서관에서 848(영미문학, 르포르타주 및 기타)에 두었고, 나처럼 생각했는지, 843 영미소설에 분류해 놓은 도서관도 있었다. 작가 올리버 색스를 일컬어 '의학계의 시인'이라고들 부르고 어떤 책 소개 유튜브 영상에선 그에게 노벨문학상을 주어야 했다고까지 하는 걸 보고 그제야 이 책으로 인해 발생한 오류와 착각을 이해할 수 있었다. 의대생 필독서라고도 하고 인지심리학자 김경일은 학생들에게 추천해 읽힌다는 책이었다.

몰랐다. 올리버 색스라는 사람이 이렇게 추앙하는 사람이 많은 작가였는 줄 정말 몰랐다. 나는 '아내'도 아니고 '모자'도 아닌 '착각'이라는 단어에 꽂혔고 뭐든지 직접 가서, 보고, 만져 봐야 하는 성미인지라 곧장 책을 펼쳐 읽기 시작했다. 들어가는 글에는 '나는 나 자신을 자연학자인 동시에 의사라고 생각한다. 나는 질병과 사람 양쪽 모두에 똑같은 관심을 가지고 있다. 또한 … 나는 이론가이자 극작가이기도 하다. 나는 과학적인 것과 낭만적인 것 모두에 푹 빠져 있고, 그 둘을 단순히 질병이 아니라 인간을 에워싼 조건 속에서 끊임없이 고찰하고 있다.'고 적혀 있다. 자연학자라는 관점에서 ISBN에 붙어 있던 400번도 옳았고, 의사의 임상기록이니 510번대가 맞고 극작가로서 낭만적인 것에 푹 빠져 있다는 의미에서 848번도 맞을 것 같다. 하지만 극은 아니고 소설은 더더욱 아니니까 소설이라고 분류한 번호 843은 '착각'이다.

2. '착각'이라는 단어가 머릿속을 떠나지 않았다. 이번엔 부천의 한 작은 도서관이다. 코로나가 한창이라 상호대차로 쏟아져 들어왔다 나

갔다 하는 책들을 소독하고 정리하느라 책에 붙은 번호밖에는 다른 걸 볼 여력이 없었다. 그때 갑자기 눈에 훅하고 들어오는 책 제목이 있었다. 『마음을 읽는다는 착각: 오해와 상처에서 벗어나는 관계의 심리학』. '착각'이라는 말만으로도 저절로 끌려 손이 갔다. 책에선, 다른 사람의 마음을 알고 있다고 착각하는 태도에서 오해는 시작된다, 속임수를 감지하는 능력이 있다고 해도 무작위 확률에 비해 약간 높을 뿐, 낯선 사람 마음보다 친구, 동료, 애인 마음을 더 잘 안다고 생각하지만 차이는 미미하다, 이런 사실을 깨달아야 관계를 바로잡을 수 있는 실마리가 생긴다고 이야기하고 있었다.

아무리 물고문당하는 상상을 하고, 잠 못 자는 상상을 하고, 가난한 사람이 되어 보는 상상을 하고, 몇 년간 독방 신세가 되어 보는 상상을 하면서 … 애써도 자신의 상황과는 극단적으로 다른 상황에 처하는 게 어떤 것인지 이해할 수는 없다. 누구나 상대방의 입장이 되어 보기 전에 그를 판단해서는 안 된다고 다른 사람들에게 가르칠 수 있지만 정작 우리는 상대방을 판단하면서 그런 사실을 쉽게 간과한다.*

책을 읽고 어떠냐 물으면 울 아들내미가 늘 하는 말이 있다. "너무 당연한 말이어서 말이지. 그 말대로 하느냐 안 하느냐가 문제지." 그러면 책에 어떤 내용이 있더냐고 더 이상 물을 수 없게 된다. 그저 아들이 내려 주는 커피를 조용히 기다리기 일쑤다. 그러다 지나도 한참 지난 이

---

* 『마음을 읽는다는 착각』, 니컬러스 에플리 지음, 박인균 옮김, 을유문화사, 2014, 186쪽.

야기를 듣기도 한다. 재수 마지막에 왜 학원에 안 갔는지 아느냐고 묻는다. 놀랐다. 학원에 안 간 줄도 몰랐다. 같이 공부하던 같은 반 친구가 주먹을 휘둘렀는데 자기는 운동을 한 사람이고 CCTV도 있었기 때문에 맞고만 있었고, 담임 선생님이 잘 처리해 주실 줄 알았는데 원서 쓰기 전에 예민해서 그런 거라며 무마하려 해 억울했었다고. 그럴 때면 잠에서 번쩍 깬다. 아무리 다 큰 아들이라지만, 집에서 항상 웃는 아이니, 별 탈 없이 잘 커 주고 있구나, 생각했었다. 이럴 때면 정말, 내가 착각 속에 살고 있네 싶다. 엄마가 생각하는 평온한 그림 망치고 싶지 않아 말도 못한 건 아닌지 미안하기만 하다. 책을 읽고 감명받고 무언가를 알고 있다고 해서 그렇게 행하고 있다는 건 아닌데, 더구나 그렇게 사는 것도 아닌데…. 그때, 몇 번을 봐도 물리지 않는지 매번 같은 액션 영화에 정신 팔려 있던 아빠는 아들에게, 원두 가는 거 분리해서 청소 좀 하라고 한다. "손잡이 풀고 … 와셔 떨어져서 잃어버리지 않게 조심하고… ." 아들과 나는 동시에 무슨 말인지 모르겠다는 표정으로 아빠가 분명 '와셔'라고 한 거 맞냐 묻는다. 아빠가 아무리 스펠링을 또박또박 불러 주어도 우리는 평생 처음 들어 본 단어에, 아빠는 외계인인가, 생각하고 있었다. 아빠에게 너무나 당연한 말을 아내와 아들내미가 외계어 취급하자 아빠는 답답했다. 남편과 알고 지낸 세월이 34년쯤 되고, 아들내미를 낳고 기른 시간이 20년이 넘었다. 그 긴 시간 속에 한 번도 들어 보지 못한 단어 '와셔'. 그래, '잘 안다고 하는 생각'은 착각이라고 했다. 누구나 '자기중심적으로 편향'되어 있다고도 했다. '타인의 관점을 생각한들 그 생각이 정확하다는 보장이 없다.' '정말로 타인의 관점을 이해해야 한다면, 유일한 방법은 상대에게 뭘 원하는지 묻거나 … .' 좋아하는 영화도 팽개치고 아빠는 열심히 커피 그라인더를 분리해 와셔를 보여 준다. "이건 평와셔고, 스프링와셔라는 것도 있어…."

타인의 마음은 절대 펼쳐진 책 같을 수 없다. 서로를 더 잘 이해하는 비결은 상대의 보디랭귀지를 해독하는 능력이나 관점을 수용하는 능력을 향상시키는 것이 아니라, 상대가 자신의 마음을 스스럼없이 솔직하게 털어놓을 수 있게끔 공들여 관계를 맺는 것이다.*

책을 그저 바라만 보는 건 읽는 게 아니고 펼쳐져 있다고 해서 알게 되는 것도 아니며 읽지 않으면 이해할 수 없고 읽다가 모르는 단어가 나오면 꼼꼼하게 사전을 찾아보고 사전에도 없으면 묻고 알아보아야 한다. 그렇게 펼쳐진 책을 읽었다고 해도 그것으로 타인의 마음을 알았다고 할 수는 없다. 우리 아들 말대로 너무나 당연한 이야기가 이마를 탁, 치는 깨달음을 준다.

3. '착각'이라는 주제를 따라가다 '나를 나로 만드는 것은 대체 뭘까?' 질문하는 줄리아 쇼라는 이의 책을 만났다. '자기 정체성의 진정한 뿌리는 우리의 기억에 있다'고 이야기를 시작하는 『몹쓸 기억력 : 자기 자신마저 속이는 기억의 착각』이라는 제목의 책이다. 설명에 의하면 '우리가 하나의 전체적인 기억으로 여기는 것은 뇌의 여러 영역들에 있는 기억파편들(기억흔적들)이 서로 연합해 만들어 내는 결과물이다.' 작가가 이 책을 쓴 이유는 '우리의 기억에 심각한 결함이 있다는 사실을 납득시키기 위해서'라고 한다. 우리의 기억은 심각한 결함을 가지고 있다.

---

* 『마음을 읽는다는 착각』, 274쪽.

거짓 기억이 존재할 수 있을 뿐만 아니라 원래 잊도록(망각) 설계되어 있다. 『마음을 읽는다는 착각』에서 '자기중심적 편향'에 대한 이야기가 인상적이었는데 이 책에는 '우월착각'이라는 말이 나온다.

대부분의 사람들이 자신을 평균 이상으로 똑똑하고 매력적이며 유능한 인간으로 생각한다는 결과를 보여준 연구도 있다. 자기가 만능이라고까지 믿지는 않더라도 대개는 거의 모든 면모에서 평균 이상이라고 생각한다.*

자신의 외모에 대해서도 마찬가지인데 남성과 여성 모두 자기 외모를 실제보다 훨씬 높게 평가한다고 한다. '내가 그래도 평균은 넘지' 이렇게 말이다(사람들에게 겸손은 원래 힘든 거구나. 나같이 내향적인 성격에 소심한 사람에겐 유용한 정보다). 이렇게 기억이 미심쩍다는 걸 알아도 우리는 행복하게 살 수 있단다. 이유는 '그 덕분에 오히려 유연한 창의성을 발휘'할 수 있기 때문이다.

과거에 너무 집착하지 말고 지금 이 순간에 충실하면 된다. 우리 인생과 기억의 황금기는 바로 지금이다.**

4. 가장 최근엔 『생각한다는 착각: 뇌과학과 인지심리학으로 풀어낸 마음의 재해석』이란 책을 읽었다. 여기서는 더 나가 '우리 자신이 느

---

* 『몹쓸 기억력』, 줄리아 쇼 지음, 이영아 옮김, 현암사, 2017, 181쪽.

** 『몹쓸 기억력』, 316쪽.

끼는 것도 포함해 감정들 역시 그저 허구에 지나지 않는다'*고 한다. '감정은 순간적인 창작'**이다. 저자 닉 채터에 의하면 생각의 한 유형인 지각이 가장 중요하다. 다른 모든 유형의 '생각'은 그저 '지각의 확장'일 뿐이다. 그런데 우리의 감각적 경험은 빈약하기 그지없다. 정확하고 총괄적으로 본다고 착각하지만 모순적이고 편협하다. '뇌는 이 세계를 단편적으로 언뜻 보고 단편적으로 상상한다.'*** 제목에는 '생각한다'인데 결론은 '마음의 비결'이라고 해서 원제목을 보니 'The Mind is flat(마음은 평평하다)'였다. 그러니까 여기서 '생각하다'는 'think'가 아니라 'mind'다. 그러고 보니 우리말 '마음'이라는 말이 포함하고 있는 여러 의미가 저자가 말하는 '평평하다'와 왠지 어울린다. 저자는 '숨겨진 깊이 즉 내면세계와 그 세계가 포함하는 신념, 동기, 그리고 두려움은 그 자체로 상상력의 산물'이라고 거듭 말한다. 프로이트가 말한 무의식은 헛소리, 생각을 '빙산'에 비유하는 것도 잘못이다. 우리 마음의 비결은 '숨겨진 깊이'에 있는 것이 아니라 과거 주제를 두고 현재를 창의적이고 즉흥적으로 만들어 내는 놀라운 능력에 있다. 우리가 "마음먹었어"라고 할 때 그 마음은 즉흥적이라, 원래 내면 어딘가 있다가 튀어나오는 게 아니고, 말하는 순간 생겨나는 것, 실재하는 것이다.

삶을 풀어나가는 것은 소설을 풀어나가는 것과 그다지 다르지 않다. 우리는 '바로 그 순간에' 신념과 가치, 행동을 형성한다.****

---

* 『생각한다는 착각』, 닉 채터, 김문주 옮김, 웨일북, 2021, 135쪽.

** 『생각한다는 착각』, 150쪽.

*** 『생각한다는 착각』, 61쪽.

**** 『생각한다는 착각』, 15쪽.

'나를 나로 만드는 것은 대체 뭘까?'라는 『몹쓸 기억력』의 질문에 대한 답을 『생각한다는 착각』에서는 더 파격적이고 더 적극적으로 내놓는다.

우리는 과거에 의존한다고 하더라도 계속 우리 자신을 재창조하고 있다. 그리고 그러한 재창조를 이끌어나가면서 우리가 누구인지, 어떤 사람이 될지를 빚어낼 수 있다. … 우리가 우리 자신을 발견할 수 없다는 이야기다. 우리가 찾을 수 있는 자아 같은 것은 존재하지 않으니까. … 뭐든지 가능하다라는 의미가 아니다. 다만 우리의 인생과 사회의 구성이 본질적으로 제한이 없으며 창조적인 과정이라는 의미다. 또한 우리가 결정과 행동을 판단하는 기준 역시 동일한 창조적인 과정의 일부가 된다는 의미이기도 하다. 요컨대 인생은 우리가 참가하고, 규칙을 만들어내며 스스로 점수를 지키는 경기다.*

이 글을 읽자 먼저 남편이 한 말이 떠올랐다. 책을 읽고 싶지만 늘 바쁜 그에게 무슨 책을 읽고 싶은지 물어봤었다. '시집'이라고 했다. 기계공학을 전공한 그가 '시집'을 읽고 싶어 하리라고는 생각하지도 못했다. 자신은 시가 정말 어렵다고 했다. 나는 그럴 거라고, 나도 어렵다고 얘기해 주었다. 어떤 점이 그렇게 어려운지 물었다. "시를 읽으면 그걸 넘어, 뒤가 상상되어야 하는데 나는 아무것도 모르겠더라고. 깜깜해." 그에게 닉 채터의 말을 들려주면 좋겠다고 생각했다. "뒤는 없어, 원래 없

* 『생각한다는 착각』, 313~315쪽.

대. 안 보이는 게 아니고. 그냥 시를 듣고 떠오르는 걸 마음 가는 대로 상상하면 되는 거야." 그러면 그는 시에 조금 편안하게 다가갈 수 있으려나.

5. 주의를 기울이지 않으면 제대로 볼 수 없다는 말을 읽었기에, 그날은 더욱 마음을 다잡고 잘못 꽂혀 있는 책이 없는지 찾고 있었다. 자료실 입구가 시끌시끌했다. "장애인 차별"이라는 소리가 들렸다. 나도 모르게 다가갔다. 사서 선생님들이 번갈아 왔다 갔다 했다. 들어오던 다른 남자가 흰 지팡이에 걸려 넘어질 뻔했다. 지팡이를 짚고 있던 사람은 뭐 하는 거냐며 소리를 질렀고, 시각장애인 지팡이를 걷어찬 젊은 남자는 화를 내진 않았지만 미안하단 얘기도 없었다. 아니 이건 무슨 상황이람. 흰 지팡이를 짚고 입구에서 무엇을 기다리는지 돌탑처럼 우뚝 서 있는 그 사람에게 갔다. 좀 앉으시겠냐 물으니, 괜찮다고 한다. 그냥 도서를 예약했는데 책이 도착했다는 문자를 받고 찾으러 왔다고 한다. 그럼 1층에 가서 받아 가면 된다고 얘기하고 보니, 아, 볼 수 없는 분이지, 그제야 나는 지금껏 모르던 세상 사람을 만났다는 걸 깨달았다. 기억의 거짓, 감각의 거짓, 특히 시각의 결함, 그런 이야기를 읽고 있지만 그 글엔, 지금 내 앞에 서 있는 사람의 세계가 완전히 배제되어 있었다. 책을 볼 수 없어 화가 나 불만을 토로하는 그와 안 된다, 없다며 쩔쩔매는 사서들의 대화엔 그저 소리만 진동하고 있을 뿐이었다. 그때 불쑥 떠오른 말이 있었다. 올리버 색스의 『아내를 모자로 착각한 남자』 4부 단순함의 세계에 소개된 시인 리베카에 대한 에피소드에서 읽은 말이다.

우리는 환자의 결함에 너무 많은 주의를 기울였던 것이다. 그래서 변화하지 않는, 상실되지 않고 남아 있는 능력을 거의 간과했다.*

그는 볼 수 없는 사람이지만, 그렇다고 기이한 사람이라, 결함이 있는 사람이라 생각하지 않기로 했다. 언젠가 유튜브에서 전 유엔 대사 오준이, '누구나 삶의 한 단계에서는 장애인이 된다, 누가 더 오래 장애인으로 사느냐의 차이일 뿐'이라 한 말이 떠올랐기 때문이다. 사서들도 규율에 얽매여 "장애인 차별" 외치는 이를 빌런 대하듯 할 사람들 아니라고 생각하기로 했다. 닉 채터 말대로 뒤에, 아니면 그 안에 의도나 신념 같은 건 없는 거라니까. 지금 상태에서 할 수 있는 일이 뭔지 찾고, 할 수 있는 일을 할 수 있으면 좋겠다 맘먹었다. 나는 이 큰 도서관의 한 자료실에서 있는지 없는지 일하는 봉사자일 뿐이라 난감하기가 이를 데 없긴 했지만 말이다. 사서들 기지로 문제는 하나씩 해결돼 가는 것처럼 보였다. 결국 사람들은 자기중심적으로 생각하기 마련이니, 내가 지금 무슨 일을 한 건지 가늠이 되질 않았다. 내 생각은 쥐어짠 튜브에서 쓸데없이 튀어나와 버린 치약 같았다. 이런 경우 대비해 저작권도 공부해야겠고, 도서관에서 가능한 장애인을 위한 서비스에 대해 알아 두어야겠다고 생각했다. 쏟아진 치약이라도 더 열심히 이를 닦아야 하겠기에.

6. 나는 혼자 일련의 이 특별한 책 읽기를 '착각 시리즈'라고 불러 보았다. '착각 시리즈'는 마지막 편을 향해 가고 있다. 이번 회차에 제목을 붙인다면, '끝없는 망각, 이 가슴 아픈 자기 상실'이다. 올리버 색스는 『아내를 모자로 착각한 남자』에서 두 번째로, '길 잃은 뱃사람' 지미라는

---

* 『아내를 모자로 착각한 남자』, 305쪽.

사람에 대해 이야기하면서, 괄호 안 작은 글씨로 '우리는 다리나 눈을 잃으면 다리가 없고 눈이 없다는 사실을 의식한다. 그러나 자기 자신을 잃어버리면 그 사실 자체를 모른다. 왜냐하면 그것을 깨달을 자신이라는 존재가 없어졌기 때문이다'고 썼다. 지미의 진료 기록에는 '가망성 없음, 치매, 착란, 정체성 장애 증상 보임'이라고 씌어 있었다고 한다.

'치매', 이 치매에 관련된 책들도 올리버 색스의 책처럼 513번대에 있다. 『치매의 거의 모든 기록: 치매 환자가 들려주는 치매 이야기』가 신간으로 들어왔다. 58세에 조기 치매 진단을 받은 웬디 미첼이라는 실제 환자가 쓴 두 번째 책이라고 했다. 김혜자가 치매 환자로 열연한 <눈이 부시게>라는 TV 드라마, 너무 슬펐는데. 언젠가 본 다큐멘터리에서는 89세 할머니가 치매인데, 밭에서 양말에 흙을 잔뜩 묻힌 채 들어오는 걸 필리핀 며느리가 부정확한 발음에 큰 목소리로 나무라고 있어서 귀도 맘도 아팠었다. 치매 어머니에 대하여 딸 입장으로 솔직하게 써 내려간 프랑스 작가 아니 에르노의 『나는 나의 밤을 떠나지 않는다』도 읽었다. '나는 나의 밤을 떠나지 않는다'는 작가 어머니가 마지막으로 쓴 문장이었다고 했다. 이 단 한 문장밖에 알 수 없어 안타까워하던 이야기를 읽었기에 웬디 미첼의 글이 참 귀하게 여겨졌다. 치매 환자가 직접 들려주는 목소리이기 때문이다. 그의 이야기는 먼저 '왜곡되는 감각'에 대한 것으로 시작한다.

우리처럼 기억을 앗아가는 질병을 앓고 있는 사람들도 냄비의 물이 끓을 때 보글보글 올라오는 기포들처럼 기억이 새록새록 떠오르면 깜짝 놀랄 때가 있다.*

혀끝에 남은 잘 구운 케이크의 맛과 냄새, 이제는 그런 기억들을 떠올리는 것이 점점 어려워진다. 지금은 인지하지 못하지만, 내 주방에는 여전히 이런 냄새가 희미하게 떠돌아다니고 있을 것이다.**

식탁보가 검은색이면 식탁이 다이닝룸 중앙에 생긴 커다란 싱크홀처럼 보여서 혼란스러웠다.***

하얀 접시도 문제였다. 치매 환자에게 하얀 접시에 색이 흐릿한 매시드 포테이토나 얇고 납작한 생선 조각을 담아 주면, 환자는 접시에 음식이 있다는 것을 알아채지 못할지도 모른다.****

깜짝 놀랐다. 감기를 심하게 앓고 후각이 돌아오지 않는 엄마도 생각나고, 대상포진으로 혼자 찾은 병원에서 아편계열 진통제를 처방받아 온 시어머니도 생각났다. 올리버 색스와 니컬러스 에플리, 줄리아 쇼, 닉 채터가 쓴 훌륭한 연구, 귀한 이야기들을 읽으며 깨달음을 얻는다지만 나의 소소한 이 일상의 기쁨이 펼쳐 지나는 그 뒤에서 어머니들이 연로해 있었다. 그래서 나는 웬디 미첼의 말에 더욱 귀 기울였다. 그는 치매를 진단받은 후 지금까지 혼자 살고 있다고 했다.

나는 아이들이 각자의 삶을 영위하기를 바라지 간병인이라는 명목하에

* 『치매의 거의 모든 기록』, 웬디 미첼·아나 와튼 지음, 조진경 옮김, 문예춘추사, 2022, 14쪽.

** 『치매의 거의 모든 기록』, 16쪽.

*** 『치매의 거의 모든 기록』, 17쪽.

**** 『치매의 거의 모든 기록』, 17쪽.

어떤 식으로든 자기 생활이 방해받는 것은 원하지 않는다. 나는 어떤 방식으로든 항상 엄마이고 싶다. 내 능력이 떨어졌어도 여전히 아이들에게 쓸모 있다고 느끼고, 아이들을 보살피는 것이 나한테는 중요하다.*

자녀가 늘 지켜보면서 뭔가를 하지 말라고 말한다면 또는 다른 사람이 당신 대신에 모든 일을 해준다면 인생에 무슨 기쁨이 있겠는가?**

왜 그들은 우리를 어린아이 취급하는가? 왜 그들은 우리가 할 수도 있는 일이 아닌 할 수 없는 일에 초점을 맞추는가? 왜 그들은 환자를 진단명 대신에 한 사람의 개인으로 보지 않는가?***

그는 자신의 치매를 진단했던 의사가 이렇게 말을 해주면 좋았을 거라고 한다.

네, 치매는 참 곤란한 병이에요. 하지만 이 새로운 꼬리표가 당신을 나타내지는 않을 거예요. 5분 전에 이 문을 열고 들어온 당신과 지금의 당신은 같은 사람입니다. 여전히 당신은 많은 일을 할 수 있고, 많은 것이 될 수 있어요. ****

부모님이 치매로 진단받으면 사형 선고라도 받은 듯이 붙잡고 엉엉 울어버리는 K-드라마 장면만 알다가 눈이 크게 떠지는 말이 아닐 수 없었다. '긍징적인 자아개념을 유지하는 것이 저항'임을 알려 주고 '자존

---

* 『치매의 거의 모든 기록』, 72쪽.

** 『치매의 거의 모든 기록』, 79쪽.

*** 『치매의 거의 모든 기록』, 79쪽.

**** 『치매의 거의 모든 기록』, 228쪽.

감을 보호'하는 것이 중요하며 이를 위해서 끊임없이 '대화'해야 한다고 웬디 미첼은 말하고 있다. 그녀의 글은 "치매는 '지금'에 더욱 집중하게 할 뿐 치매로 멈춰야 하는 것은 아무것도 없다"라고 하며 끝난다. 그동안 읽은 '착각 시리즈'의 결론과 다르지 않다. 어차피 안다고 하는 생각은 착각이고 기억도 감정도 생각도 즉흥적인 창작으로 만들어지는 순간 실재할 뿐이라고 했다. 그렇게 끊임없이 우리 자신을 재창조하는 것이라고 하지 않았던가?

7. 조용히 책을 읽던 도서관 이용자들은 어쩌면 인상을 찌푸렸을 한바탕 소동이 끝나고 나는 딱히 한 일도 없었으면서 다리에 힘이 빠지고 멍해졌다. 영미문학과 독문학, 불문학 작품들이 있는 서가에 올리버 색스가 마지막 2년 동안 쓴 4편의 에세이를 묶어 낸 『고맙습니다』가 보였다. ISBN 끝자리 400에 보통은 513번대에 정리되어 있을 텐데 848번에 꽂혀 있다. 뽑아 들고 털썩 콘크리트 바닥에 앉았다.

내가 여든 살이라니! 도무지 믿기지 않는다. 가끔은 인생이 이제야 시작될 것 같은 기분이 들지만, 이내 사실은 거의 끝나가고 있다는 깨달음이 뒤따른다.*

어쩌면, 운이 좋다면, 몇 년 더 그럭저럭 건강을 유지하면서 프로이트가 삶에서 제일 중요한 두 가지라고 말했던 사랑과 일을 계속해 나갈 자유를 누릴 수 있을 것이다.**

---

* 『고맙습니다』, 올리버 색스, 김명남 옮김, 알마, 2018, 28쪽.

** 『고맙습니다』, 31쪽.

뜬금없이 궁금해졌다. AI는 늙을 수 있을까? AI는 죽음을 받아들일 수 있을까? 운에 맡긴다는 걸, 건강을 유지한다는 걸 알까? 그리고 삶이란 걸 살고 있다고 생각할까? 그런 삶에서 제일 중요한 것 두 가지로 사랑과 일을 꼽고 그것을 계속해 나갈 수 있는 걸 자유라고 할까? AI가 그런 걸 원하는 날도 올까?

제목이 찍힌 표제지를 넘기자 별빛 두 개가 나뭇잎에 매달려 떨어지는 그림 아래 문장 두 개가 적혀 있다. 뭔가, 길었던 이번 '착각' 시리즈를 마무리할 딱 좋은 말이 아닐까 싶었다. (엄마, 보고 있죠?)

나는 지금 죽음과 마주하고 있습니다. 하지만 나의 삶은 아직 끝나지 않았습니다.

꽃이 피지 않는 목련의 운명.

do

sí

"어딘지도 모르는 어딘가에서 한 번도 본 적 없는 양 한 마리가 한 번도 본 적 없는 꽃 한 송이를 먹었느냐 안 먹었느냐에 따라 온 우주가 완전히 달라지는 셈이다."

(생텍쥐페리 『어린 왕자』)

꽃이 피지 않는 목련의 운명

그 집에서 여섯 해가 지나는 동안 나무는 꽃을 피우지 않았다. 1960년대 지어졌다는 집은 빛이 잘 들지 않아 2층에 마련된 경당이 더욱 동굴 같았다. 빛을 향한 의지로 가득 차 서 있는 나무는 동화 『재크와 콩나무』의 콩나무 같이 키가 크고 잎이 무성했다. 2층 난간에서 올려다보면 털이 보송보송한 나무의 겨울 눈을 볼 수 있었다. 집을 드나드는 사람들은 이를 보며 "목련꽃이 피면 알려달라"고 했다. 그래서 나는 그 나무가 목련임을 알았다.

봄을 거듭 지났다. 앙상한 가지에 달린 털복숭이들은 꽃이 아니었다. 여기저기 묻고 검색해봐도 도대체 목련 나무에 꽃이 왜 피지 않는지 알 수 없었다. 조금 더 통통하게 매달린 녀석을 발견하면 언젠가 필 수도 있으리라는 바람이 생기곤 했다. 목련 나무가 자라 꽃을 보기까지 10년이 넘게 걸릴 수도 있다니까. 꽃이 피지 않아도 괜찮았다. 그렇게 보기 어렵다는 행운목에 하얀 꽃들이 탐스럽게 달려 향기를 뿜기 시작했을 때 동생의 회사는 부도가 났고 아버지의 건강에 문제가 생기기 시작했다고 기억하고 있기 때문이다.

산수유가 피고 졌다. 철쭉이 피고 장미가 달렸다. 아무리 덥고 진드기가 괴롭혀도 무궁화가 피고 졌다. 목련은 피지 않았다. 대신 유난히 큰 잎사귀들만 공룡처럼 턱턱 달려서 비가 오고 바람이 불면 후두둑 떨어져 쌓였다. 삼사십 년은 족히 그 자리에 있었으리라. 경당에서 나오는 자매님들과 형제님들 말 한마디씩만 모아도 꽃이 피는 기적쯤은 일어나고도 남을 텐데. 그 큰 나무에 환하게 한가득 꽃이 핀다면…, 생각만 해도 초현실적인 기분이 되었다.

어떤 사람은 나무가 집보다 높으면 위험하다고 했다. 목련의 뿌리는 약해서 언제 넘어갈지 모른다고 했다. 목련은 성장 속도가 빨라 담장이고 어디고 뿌리가 다 헤집고 있을 거라고도 했다. 집과 오래 함께한 나무는 영물이니 기대 살아야 한다는 사람도 있었다. 집안에 쓰던 가구라면 그저 부숴서 버려 버리면 그만이지만 오랜 시간 함께 한 생명은 다른 것이었다.

나는 이런 문제에 대해 아는 바가 하나도 없었다. 일곱 해가 지나자 거대한 목련 나무가 피우는 꽃에 대한 희망은 모두 사라졌다. 정원의 흙이 바싹 마르도록 비가 오지 않으면 긴 호스를 연결해 2층 경당에서 물을 뿌려 먼지를 씻어 주어야 했고, 비가 많이 오면 물구멍이 막혀 마당에 물이 차니 낙엽을 부지런히 쓸어 버려야 했다. 태풍이 오면 나무가 쓰러질까 잠도 오지 않았다. 비가 퍼붓던 어느 날, 옆집 지붕 위로 떨어져 배수관을 막은 낙엽 때문에, 그 집 안방 형광등에서 물이 뚝뚝 떨어지는 아찔한 일이 생기고 말았다. 일터일 뿐 내 집도 아닌데, 사고처리도 사과도 내가 나서서 해야 하니 곤란하고 귀찮고….

나무를 자른대도 일이요, 자르지 않아도 일이었다. 어차피 하는 고생, 이왕이면 잘했다는 소리를 듣고 싶었다. 시키는 대로 하면 되지. 분부만 내리시라. 꽃이 피는 것에 대해서라면 함께 희망하고 바라고 기도해 주면 되었다. 그런데 꽃이 피지 않는 나무를 자르는 문제에 대해서는 사람들의 반응이 묘하다. 집을 에워싼 붉은 벽돌을 뒤덮은 담쟁이를 보며 '담쟁이' 시를 읊어 주곤 하던 한 자매님은 나무를 좀 다듬자 했고, 온 집이 담쟁이에 점령당할까 무섭게 뜯어내곤 하던 다른 자매님은 나무가 더 자라지 못하게 뿌리까지 파버려야 한다고 했다. 암 투병 중이시던 60대 형제님이 나무를 바라보는 눈길은 슬펐다.

집에 들어온 쥐새끼도 "얘들아 자, 자, 나가야지." 살살 몰아서 밖으로 쫓곤 하던 신부님은 일단 나뭇잎이 옆집으로 떨어지지 않게 다듬기만 하자고 하셨다. 잠시 평화가 찾아오는 듯했다. 예수의 저주를 듣고 말라 버리는 무화과나무라면 좋으련만…. 한 해가 지나자 같은 걱정이 반복되었다. 정말 다른 방법이 없었다. 칠십 만원 가까운 돈이 들었다. 자르던 아저씨들도 밑동만 남겨두고 투덜대며 가 버렸다. 그 누구도 잘했다, 아니다, 말해 주는 사람이 없었다. 옆집 자매는 또 향나무가 담을 밀어 위험하다며 뽑으란다. '예수님은 목수셨다'는 후임 신부님이 직접 톱을 들었다. 식복사 자매와 셋이 향나무를 잘랐다.

집이 좀 더 밝아진 것도 같고 바람도 더 부는 것 같았다. 지나고 보니 꽃이 피지 않는 거대한 목련과 함께 작은 집에 사는 것은 힘든 일이었다. 나무도 이렇게 어둡고 좁은 곳에서 살기 힘들었겠구나. 꽃 피우기도 버거운 하루하루가 아니었을까. 향나무 속에는 비둘기가 둥지를 틀고 있었다. 그래서 그렇게 비둘기 소리가 컸었다.

가끔 집을 방문하는 한 자매는 현관문 앞에 절구를 놓고 물을 채워서 그곳에 부레옥잠과 금붕어 두 마리를 넣어 주곤 했다. 부레옥잠의 연보라 꽃을 보는 일은 즐거웠다. 햇살 뜨겁던 어느 날 아침, 배가 뒤집혀 떠오른 두 마리 금붕어를 본 것은 그로테스크였다. 떠오른 금붕어 두 마리를 채로 떠서 납작한 목련나무 밑둥 옆에 땅을 파고 가지런히 묻어 주었다. 이제야 비로소 볕이 들어와 앉은 땅에.

2009년 여름, '처치실'이라 씌어 있던 어두운 병실에서 밤을 새웠다. 아침 8시 출근하듯 가셨던 아빠…. 무언가 올라와 꿀꺽 침을 삼켰다. 코끝이 매웠다. 지금 여기가 아니더라도 'Et exspecto resurrectionem mortuorum, 그리하여 나는 죽은 자들의 부활을 소망한다.' 카우벨과 차임, 트럼펫 소리가 들리는 것 같았다.

구멍 뚫린 상자 속 양 한 마리

누군가의 글을 읽다가 '명치를 찌른다'는 말을 읽는 순간이었다. 쨍한 금속성이 들리면서 가슴이 날카롭게 뚫리고 숨이 턱 막히던 그 시간 아픔이 떠올랐다. 비가 줄기차게 내리던 2009년 7월, 10년도 더 지난 이야기. 검은 한복에 작고 흰 리본 핀을 꼽고 서 있었다. 더웠겠지. 사람이 많았겠지. 성당이었으니 연도 소리가 구슬펐겠지. 울었던가? 기억이란 무엇 하나 확실한 법이 없다. 흰 상자, 그것이 닫혔다는 것밖에. 그렇게 가슴에 구멍이 뚫렸단 밖에.

말을 할 수 있을까? 아니, 하지 말까? 세상은 이미 아픔으로 가득하니 거기에 더한다고 티가 나겠나, 괜찮다 싶다가, 아무렇지도 않게 잘 살고들 있는 모양이 부럽기도 하고 한편 위태롭기도 해서, 입을 떼는 것이 미안해지기도 한다. 그래도 아프다고, 아팠다고 말하는 것이 무슨 죄인 것도 아니고 나이는 안 먹을 수가 없어서 모든 일들이 지금보다 더 빠른 속도로 잊히겠기에 맴도는 말들을 주워 담으려 애를 써본다.

아빠는 초등학교 선생님, 교장 선생님으로 은퇴하셨다. 많은 자기소개서의 서두에 달리는 표현처럼 '엄하신 아버지'였다. 집에는 저녁 6시까지 들어와야 하고(강의가 6시에 끝나는데), 아침은 8시, 점심은 12시, 저녁은 6시에 먹어야 하며(공휴일에도), 공부하는데 무슨 음악이냐며 무조건 음악 소리는 시끄러우니 끄라고 성화, 냉장고에 콜라가 들어 있으면 이 상한다고 절대 마셔서는 안 된다고 성화. 친구들이랑 놀다가 늦게 들어가면 무릎 꿇리고 밤이 새도록 잔소리. 가훈은 '정직'. 근검절약해야 한다고 비누는 늘 한쪽 면에 은박지를 붙여 사용했다. 사야 하는 물건값이 만 원이면 팔천 원을 줬다. 왜 그랬는지 모르지만, 식사 때면 꼭 한 숟가락씩 남겨서 누가 먹지도 못하고 엄마한테 핀잔 듣기 일쑤였고, 월급날엔 뭘 많이 사는 법 없이 고등어 꼭 한 손, 어쩌다 돼지고기 한 근. 늘 규칙적으로 운동하고 애먼 음식 드시는 법이 없던 아빠는 평생 감기로라도 앓아누운 모습을 보인 적이 없었다.

이 정도 성실한 사람이 장수하지 않으면 누가 할까 생각했다. 밖에 나가 운동을 너무 많이 해서 피부가 발갛게 타고 물집이 생기고 벗어지는 거라 생각했다. 암 수술도 척척 해내는 대한민국에서 이까짓 피부병 말고도 못 고칠 병이 무어냐 했다. 평균수명이 80세가 넘는 나라니 적어도 그 정도는 살 수 있겠지. 그렇게 생각하고선 나는, 시시하고 보잘것없는 몇 푼 벌겠다고 이리 뛰고 저리 뛰고 쓸데없이 왜 그리 바빴는지 모를 일이다. '우리 애, 애 때문에…'라는 말은 무슨 벼슬이나 된다고 그리 달고 살았는지. 자기 일은 스스로 알아서 해야 한다고 가르친 사람이 잘못이다. 처음 병원에 함께 가자고 부탁할 때도 속으로 나는 그것이 여간 성가신 게 아니었다.

"할아버지, 지난번 약은 제대로 드신 거예요? 아, 왜 그러실까?"

배울 만큼 배웠다는 서울 대학병원 의사 선생 말본새가 왜 이 모양이지? 잘 모른다는 얘긴데, 울 아빠를 완전 무지렁이 취급하면서 덮어씌운다. 당연하다고 생각한 미래가 모두 허상으로 돌변하는 순간이었다(의사들은 아빠가 돌아가시기 2주 전이 되어서야 정확한 병명을 알려주었다. 어떤 보험도 보장해 주지 못하는 희귀한 혈액암이라고 했다). 그때도 나는 내 바쁜 처지가 더 곤란했다. 사막 한가운데에서 죽느냐 사느냐 하는데 양 한 마리만 그려 달라는 어린 왕자가 그저 황당하기만 하듯이. 생택쥐페리가 묘사한 것처럼 나는 '벼락 맞은 사람처럼' 펄쩍 뛸 지경이었고 '갑자기 나타난 유령을 보고'(그제야 노쇠한 모습의 아빠가 보였다) '깜짝 놀라서 눈알이 돌아가는 줄 알았다.'

총에 맞은 듯 가슴에 구멍이 난 후 나는 한동안 잠을 잘 수 없었다. 병실에서 밤을 새울 때처럼 안타깝고 숨이 막힐 듯한 밤은 깜깜하고 길었다. 잠깐 잠이 들면 악몽을 꿨다. 과연 낮이 있었나 싶었다. 시간이 다시 흐를까 싶은 하루하루가 이어지던 어느 날, 꿈을 꿨다. 깨고 나서 비로소 아침을 느꼈으니 악몽은 아니었다. 어느 집 집들이가 성대했다. 넓은 집에 사람들은 즐거웠고 손에는 크리스털 술잔이 들려 있었다. 그 집엔 드레스룸이 화려했다. 남편과 나는 그곳에서 어느 넥타이가 어울리는지 이것저것 만져 보고 있었다. 따뜻한 손길이 무지갯빛 넥타이를 권하기에 고개를 들어 보니 집주인이었는데, 우윳빛이 화사하게 감도는 분홍색 저고리에 쪽빛 고름, 엷은 하늘색 비단으로 지어진 바지를 입고 얼굴에는 빛이 났다. 손에 와인잔을 들고 나의 감사 인사에 눈웃음으로 답을 해준다. 그러고 보니, 아빠구나, 생각이 들면서 꿈에서 깼다.

아빠가 술을 좋아하셨지. 고통스러운 시간을 견디고 이젠 잔치를 즐기고 계실지도 모르겠구나. 하긴, 음악 소리는 하여간 시끄럽다고 하더니 언젠가 동생 방에서 '가도 가도 끝이 없는 외로운 이 나그네길…' 하는 김현식의 노래를 틀어 놓고 따라 불렀어. 그 노래를 부르는 아빠를 생각하면 딱하고 애처롭지만, 바리톤의 목소리가 참 좋았어. 방문을 열어젖히며 겸연쩍으면서도 호탕하게 "위대한 우리 딸, 공부하는가?" 하던 그 목소리가 그땐 그렇게 싫었는데. 위대하다고 계속 말해 주면 위대해질 줄 알았을 텐데 결국 위대(胃大)한 딸이 되었을 뿐이라 생각하니 웃프다. 끝까지 포기하지 않던 그 아재 유머는 어떡하고. 할머니에게 둘도 없는 효자였던 아빠는 늘 젓가락으로 반찬을 집어 입에 넣고서 "아이고 맛있네. 어머니가 하셨나 보네!" 했다. 그러면 엄마가 뾰로통해져서 "그거 내가 한 건데!" 하면 "그래? 어쩐지 맛있더라. 난 어머님이 하신 건 줄 알았지!" 했다. 아빠는 마지막까지 무슨 일인지 모르겠지만 누군가에게 자꾸 "아이구 미안해요." "아이구, 아이구, 고마워요." 하다, 아침 출근 시간을 맞춰 떠나가셨다.

지난 시간을 돌이켜 생각하다 보니 문득 고등학교 여름 방학, 밤새 읽고 새벽녘 펑펑 울며 잠들었던 생택쥐페리의 『어린 왕자』가 생각났다. 노란 별이 반짝이고 그것을 바라보면서 '나무가 넘어가듯 서서히' 쓰러지는 어린 왕자를 그린 그림을 보며 나는 꺽꺽 울었다. 그 영향이었는지 나는 프랑스 문학을 전공했다. 『어린 왕자』는 외우다시피 읽고 시험도 본 책이다. 하지만 지금까지도 나는 양을 그려 달라는데 인내심에 한계를 느끼고 '옛다 받아라' 하는 심정으로 구멍 세 개가 뚫린 블록 모양의 상자를 그려 줬는데 '바로 이거야!'를 외치는 어린 왕자의 정신세계를 도무지 이해할 수 없다. 왜 구멍 뚫린 상자지?

어딘지도 모르는 어딘가에서, 한 번도 본 적 없는 양 한 마리가, 한 번도 본 적 없는 꽃 한 송이를, 먹었느냐 안 먹었느냐에 따라온 우주가 완전히 달라지는 셈이다.

그대 오늘 밤 창을 열고 별바다를 바라보라. 그리고 대답해 보라. 양이 꽃을 먹었을까? 먹지 않았을까? 그러면 당신은 모든 것을 변화시키는 방법을 깨닫게 될 것이다 … 하지만 어른들은 이것이 중요한 문제라는 걸 이해하지 못한다.*

내 가슴속에 뚫린 구멍이 이 상자의 구멍으로 연결돼 있는 건 아닐까? 그 구멍으로 얼핏 친구들과 술 한 잔을 즐기고 있는 아빠를 보았는지도 모른다. 어딘지 모르는 어딘가에서 아빠도 예전처럼 문 활짝 열어젖히며 "위대한 우리 딸!" 할 수는 없어도 이 구멍을 통해 딸이 무엇을 하고 있는지 요리조리 살펴보고 있을지도 모르겠다. 가슴속의 구멍은 아물지 않겠지. 하지만 쓰임이 있구나. 바로 이거야. 구멍이 뚫린 상자 속 양 한 마리.

---

* 생텍쥐페리, 『어린 왕자』, 소와다리, 2016, 91쪽.

In un'altra vita 또 다른 삶에서

여자들이 군대 얘기를 싫어하고 군대에서 축구 한 얘기는 더욱 듣고 싶어 하지 않는 것처럼 TV를 볼 때 나는 경연 프로그램이 싫다. 더군다나 노래 경연이라면 채널을 바로 바꿔 버린다. 좋은 노래를 가지고 경쟁하는 긴장감은 견디기 힘든 잡음일 뿐이다. 하루하루 사는 스트레스도 버거운데 음악마저 날 긴장시킨다면 어디로 피해 가 있으란 말이냐. 음악 듣는 것이 요즘은 얼마나 편한가. 듣고 싶은 곡이 있으면 복권 당첨 바라는 심정으로 엽서를 쓰거나 아니면 라디오에서 나오기만을 기다려 녹음해야 했던 때도 있었다. DJ가 음악을 먼저 틀고 곡 소개에 멋을 부리면 녹음 준비하던 긴장한 손끝이 급격한 분노로 힘이 풀린다. 미스터 빅의 <투 비 위드 유>를 좀 따라 불러 보겠다고 턴테이블 위에 올려 숨죽여 바늘을 놓아야 들을 수 있던 LP로 턱, 터덕, 치지직을 반복하던 때도 있었다. 시간이 지날수록 들으면 들을수록 잡음이 더해지던 LP에 비해 CD라는 것의 소리는 소름 끼치게 정확해서, 그래서 좀, 비현실적이었다. 아이팟 MP3는 어떤가. 어쩜 그렇게 작고 예쁜지 신기할 따름이었지. 이제는 서비스 플랫폼에만 접근할 수 있으면 '스트리밍'으로 어디서 듣지 어떤 방법으로든 음악을 들을 수 있다. 전철이나 버스, 자동차 안에서도 '노이즈캔슬링'이라나 하는 기술이면 오로지 음악과 나만의 콘서트홀이 생긴다. 한 곡 한 곡 모아 테이프에 담아서 선물하던 추억은 "라떼는 말야…" 옛이야기다. 어느새 나는 지금 여기에서 다른 세상을 살고 또 다른 세상으로 살아 나간다.

한 번 터치였을 뿐인데 유튜브에서 포레스텔라의 <팬텀싱어 시즌 2> 결승 1회전 첫 곡 <in un'altra vita(또 다른 삶에서)> 무대를 보여준다. 무시한다. 노래 경연 프로그램이니까. 그랬더니 알고리즘은 내게 이 사람들이 누구냐 하면, 하는 설명을 하고 싶었던 모양이다. 어떤 외국인의 리액션 영상이 떴다. 포레스텔라가 커버한 '퀸'의 <보헤미안 랩소디>에 대한 것이었다. 코로나로 길은 모두 막혔지만 인터넷 세상의 연결은 그 어떤 때보다 빠르고 끈끈하다. 성악 전공자도 있다니 퀸보다 잘 부르는 건 당연한 거 아닌가. '락밴드'인 퀸이 오페라 스타일을 접목한 곡이고 온전한 라이브만으로 들을 수가 없었던 곡이기도 하니까. 그러다 다른 곡보다 긴 줄도 모르고 녹음 버튼을 눌렀다가 테이프가 모자라 버튼이 탁하고 튀어 올라서 놀라던 그때가, 그 시절이 떠올랐다. 철학자 미셸 푸코와 지휘자 레너드 번스타인, 할리우드 배우 록 허드슨처럼 퀸의 보컬 프레디 머큐리도 에이즈로 세상을 떠났다는 이야기를 나는 라디오 디제이에게 들었다. 뛰어난 아티스트라지만 에이즈라니. 거기에 'Mama, just killed a man(엄마, 사람을 죽였어)'라니. 자체 검열이 강한 착한 학생일 때, 유럽은 알아도 동유럽의 존재는 잘 모르던 시절, 금지곡이었다가 풀리던 그즈음의 이야기다. 이제 시간은 흘러서 퀸은 전설이고 <보헤미안 랩소디>는 엄마 아빠가 초등학생 아들을 데리고 함께 '자유로운 영혼'에 대해 얘기하며 볼 수 있는 천만 관객 영화다. 포레스텔라는 건드리면 안 될 것 같은 이 곡을 마치 김연아가 트리플 러츠에 트리플 토 점프를 붙여 빙판을 가로질러 날아가듯 시원하게 부르고 있었다. 깨달았다. 나는 이 곡을 처음 듣던 때와는 한참 다른 시대에 살고 있었구나.

TV 쿠폰을 모두 써서 <팬텀싱어 시즌2>를 몰아 보고 결국 포레스텔라라는 팀이 결성되고 처음으로 부르는 이 곡 <인 운 알트라 비타>에 다다랐다. 경연 프로그램이지만 지켜보기로 했다. 결과를 알고 있으니까. 그들은 '죽을 각오'로 부르겠다고 인터뷰한다. 예술가들이란 늘 이렇게 처절한 경계에 서야 하는 걸까. 쓰러질 것같이 서서 한 음 한 음 정성을 다하며 절정으로 향한다. 곡 자체가 영원한 사랑에 대한 노래여서였는지 뭔가 초월적인 힘에 닿았는지 노래 부르는 서로의 입가에 기쁜 미소가 핀다. "긴장감을 기쁨이 이겼다"고 멤버 고우림은 회고한 바 있다. 경쟁이라는 잡음 위로 다정한 눈길이 서로를 감싸 다독이듯 타고 흐른다. 그들에게 또 다른 삶이 시작되는 순간이었으리라.

이 노래로 나는 포레스텔라에 "꽂혔다". 나의 의지와 무관하게 아무 상관 없는 사람이 만든 음악이 나만의 너무나 개인적인 경험과 어떻게 이렇게 꼭 와닿을 수 있는지 신기한 일이다. 또 다른 삶에서도 사랑하겠다는 노래….

'그대를 위한 집을 짓고 … 그곳에서 영원할 거예요.'

그 가사로부터 나는 십여 년 전 어느 날 밤 꾸었던 꿈속으로 간다. 아빠가 돌아가시고 20일 뒤 엄마는 환갑을 맞았다. 태몽을 꿀 때처럼 낯설지만 생생한 꿈이었다. 나는 하늘로, 하늘로 올랐다. 캄캄한 공간에 크리스털 별빛이 가득하고 만년설 덮인 산봉우리가 아래로 끝이 없었다. 아늑한 느낌이 들며 그 장엄한 풍경이 커다란 통창 밖으로 밀려나고 나는 자개장이 은은한 온돌방에 들어와 있었다. 아빠…?

"엄마를 위해 아빠가 준비한 집이야. 엄마한테 잘 있다가 이곳으로 오라고 해줄래?"

창으로 비쳐 든 햇살이 다독이듯 깨우는 아침, 눈을 떴다. 우연한 일과 우연한 일이 만난 그저 우연한 일일지 모를 일이다. 꿈을 기억하고 노래를 들으며 숨 막힌 두려움과 슬픔에서 깨어나 다른 삶이 시작되던 그때 그 아침이 떠올랐다.

말하다 그리고 간직해 두다

아니, 그렇게 위대하다는 셰익스피어 작품인데 이렇게 없을 수가 있나. 옆 동네 도서관들까지 검색했는데. 티, 투, 스, 안, 드, 로, 니, 쿠, 스. 한 자 한 자 다시 또박또박 자판을 두들겨 보지만 '해당 도서가 없습니다'라고 뜬다. 흔한 책이 아닌가? 네이버 창에 넣어 보았다. 지식백과가 맨 앞에 뜬다. '타이터스 앤드러니커스'. '엔드러니커스'라고 쓰인 다른 글도 있다. 배경이 로마라서 '티투스 안드로니쿠스'가 맞는 것 같은데, 하긴 셰익스피어가 영국사람이고 영어로 쓰인 작품이니 '타이터스 앤드러니커스'가 맞을까? 전에 본 유튜브 동영상에서 덴마크 가수 크리스토퍼가 '당신을 노래하는 다비드라고 한다'는 래퍼 이영지의 영어에 "다비드? 아, 데이빗!" 하던 장면이 생각난다. '데이빗'이라고 맘대로 옮겼지만 「외래어 표기법」에 따르면 '데이비드'라고 써야 한다. 도서관 사서 업무 기본은 책들을 분류하고 정리해 이용하는 사람들이 편리하게 접근할 수 있도록 하는 것이다. 그래서 사서 교육 대표 과목은 '정보분류'와 '정보조직'이다. 그 과목에서 나는 우리말로 이름을 표기하는 방법이 50가지 이상 되는 대문호가 존재한다는 걸 배웠다. 『죄와 벌』 『백치』 『카라마조프의 형제들』의 러시아 작가 도스토옙스키다. 인터넷만 띄워 보아도 도스토예프스키, 도스또옙스끼, 도스토예브스키, 도스또예프스키, 도스또예브스키….

신부님들 일을 할 때였다. 프랑스 본원 한국 명단에 있는 신부님들 수가 한국에서 보낸 명단보다 많으니, 확인을 부탁한다는 메일을 받았다. 받아 비교해 보니 한글을 영문 알파벳으로 바꾸는 과정에서 같은 사람을 다르게 표기한 것이 원인인 걸 알았다. 나는 동일인으로 보이는 사람들 이름을 여권에 사용하는 것으로 통일해 고치고 나머지는 지워 정리했다. 일을 그만두고 사서자격증을 공부한 나중에야 프랑스 본원 기록에 있는 이름들 표기가 특이했던 이유를 알 수 있었다. 단체가 한국에서 처음 시작될 때 한국 사제 양성을 위해 오신 오영진(Olivier de Berranger) 신부님이 서류 작업을 하면서 한국 회원들 이름을 들리는 대로 옮겨 쓰셨다. 신학박사에 프랑스 생드니 교구장으로 주교까지 역임하셨던 분이 아무렇게나 하셨을 리 없다. 기준이 있었다. 국어 로마자 표기법이 마련되어 있기 전, 외래어 표기법이 생기기 전에 「매큔-라이샤워 표기법」이라는 게 있었다. 이를 모른 채 그 일을 이어받은 한국 신부님들이나 직원들이 그때그때 임의로 다시 옮기곤 했던 거다.

이런 일 저런 일 떠올리며 검색창에 영문 알파벳으로 'Titus Andronicus'라고 넣어 보았다. 셰익스피어가 젊은 시절 썼다는 이 잔혹한 비극을 알라딘 서점에서 찾아 읽을 수 있었다. '티투스 안드로니쿠스'*로 검색해서 뜨는 책이었다. '타이터스 앤드로니쿠스'로 검색하면 또 다른 책이 하나 뜬다. 물론 번역한 사람도 출판사도 달라 두 책이 같아도 같은 책이라고 볼 수는 없겠지만, 표기법에 따라 있기도 하고 없기도 한 것이 왠지 마음이 쓰인다. 연극을 많이 보질 않아서 셰익스피어 희곡을 읽으면서도 내 머릿속엔 그저 학예회 장면이 펼쳐진다.

---

* 『티투스 안드로니쿠스』, 윌리엄 셰익스피어 지음, 신상웅 옮김, 동서문화사, 2019.

"…라비니아, 이 가운데 어느 책이냐? 루키우스, 책을 하나하나 펼쳐 보아라. 그렇지만 네가 더 잘 읽었고, 잘 알고 있지. 자, 내 서재로 가서 마음에 드는 책을 골라잡아 슬픔을 잊어라."*

극 주인공인 로마 영웅 티투스 안드로니쿠스 장군이 딸 라비니아에게 하는 말이다. 라비니아는 티투스가 포로로 잡아 온 고트족 왕비 타모라의 아들 둘에게 강간당한 뒤 혀가 잘리고 손이 잘린다. 이쯤 되니, 앗, 학예회일 순 없겠는데 싶다. 내가 상상할 수 있는 잔혹함엔 한계가 있어 안소니 홉킨스가 티투스 역을 맡은 1996년 영화 <타이터스Titus>를 찾아본다.

'책을 골라잡아 슬픔을 잊어라' 말하는 티투스는, 오랜 세월 많은 이들에게 그랬듯, 책이 위로를 준다고 믿고 있다. 반면 라비니아는 위로받기보다 말이 하고 싶었다. 그저 울부짖을 뿐 말을 할 수 없는 그녀가 정신없이 펼친 책은 오비디우스의 『변신이야기』다. 그 속에 '테레우스의 배신과 필로멜라를 강간한 사건'이 씌어 있기 때문이었다. 그리고 지팡이를 들고서 모래 위에 글을 쓴다.

'강간, 키론, 데메트리우스'. 영화에선 이 순간 터져 나오는.라비니아의 고통스러운 감정이 격렬하게 그려진다. 라비니아가 쓴 글자를 읽은 티투스는 분노에 떨며 "구리판 한 장을 구해서 뾰족한 강철로 이 말을 적어 간직해 두겠다" 한다.

* 『티투스 안드로니쿠스』, 172쪽.

갑자기 셰익스피어가 언제 살았던 사람인지 궁금했다. 구글은 그가 1564년에 세례를 받았고 52세였던 1616년에 죽었다 가르쳐 준다. 기원전 43년에 태어난 로마 시인 오비디우스와 『변신이야기』를 검색해 본다. 여러 친절한 블로거들 덕분에 '테레우스의 배신과 필로멜라를 강간한 사건'에 대해 알게 되었다. 구글은 나를 "보고" 내 소리를 "듣고" 있을지 모른다더니 유튜브는 내게 필립 글라스의 <Metamorphosis(변신)>을 추천해 준다. 이리 쉽게 '앎'을 해결해 주다니, 인터넷, 참 좋은 세상이다. 아들과 함께 본 한 유튜브 동영상에서 마인크래프트 건축가 휘용이 그랬다, 마인크래프트에서 건축 가능 공간은 인터넷 세상이니 "무한대"로 보면 된다고. 『도서관, 그 소란스러운 역사』라는 책에서 매튜 베틀스가 한 말이 떠올랐다.

…맹인 사서 보르헤스를 따라 서고에서 나와 인터넷이라는 정보의 바다에 뛰어들어 보기도 한다. 다행히 예상했던 것보다 충격이 그리 크지 않다. 거기서도 운이 따라야 원하는 자료를 찾을 수 있기는 마찬가지이다.*

세상이 빠르게 변하고 그에 따른 기술이 발전할수록 원하는 자료를 찾을 수 있는 운도 조금은 좋아질까? 나는 라비니아처럼 인터넷 바다와 도서관을 이리 뛰고 저리 뛰어다닌다. '도서관이 모든 책을 소장하고 있다'는 보르헤스가 품은 '우아한 희망'**을 인터넷이라는 정보망에도 가

* 『도서관 그 소란스러운 역사』, 매튜 베틀스 지음, 강미경 옮김, 지식의 숲, 2016, 40~41쪽.

** 「바벨의 도서관」, 『픽션들』, 호르헤 루이스 보르헤스 지음, 송병선 옮김, 민음사, 2011, 109쪽.

지고 있기 때문이다. 보르헤스는 '무한하게 많고 무한하게 얇은 종이로 이루어진 단 한 권의 책 … 눈에 보이는 각각의 종이는 다른 유사한 종이들로 연결될 것이고 그렇게 되면 상상이 불가능한 한가운데의 페이지에는 뒷면이 없게 될 것'이라고 마치 인터넷 페이지들을 연상시키는 말을 『바벨의 도서관』에서 '우아한 희망'에 대한 각주로 썼다. 그에 따르면 이런 믿음은 '태곳적부터 있었다.'* 무슨 말이 이렇게 어려워. 이런 건 더 읽지 말까. 굳이 이런 말을 곱씹어 이해해야 하나. 그래도 도서관에서 일하고 그냥 도서관이 알고 싶은 나는 읽고 또 읽고 있다.

한 권의 책이 존재하기 위해서는 그것이 존재할 가능성이 있다는 것만으로도 충분하다.**

동일한 책들이 동일한 무질서 속에서 반복되고 있음으로….***

티투스와 라비니아가 오비디우스의 『변신이야기』를 펼쳐 '테레우스의 배신과 필로멜라를 강간한 사건'으로 소통하고 분노를 공유하는 순간, 나는 이것이 보르헤스가 말한 '동일한 책이 동일한 무질서 속에서 반복'되는 걸 발견하는 순간이 아닐까 생각해 본다.

라비니아를 강간한 키론과 데메트리우스는 라비니아의 혀를 잘랐다. 여기에 더해 잔인하게 손까지 자른다. 필로멜라는 수를 놓아서 언니에게 자신이 당한 일을 알렸다고 한다. 그렇지, 말할 수 없을 때, 언어를

---

* 「바벨의 도서관」, 99쪽.

** 「바벨의 도서관」, 106쪽. '완벽한 책'의 각주.

*** 「바벨의 도서관」, 109쪽.

모를 때, 손이 대신할 수 있는 일이 많지. 필로멜라든 자기 처지를 알리는 언니 프로크네든 글을 읽을 줄 모르거나 쓸 줄 모르는 거야. 아니면 쓰지 못하게 하거나. 반면 라비니아는 글을 알아서 읽고 쓸 줄 아는 여잔거지. 1990년대 배경 일본 영화 <행복한 사전>에 연애편지를 읽지 못하는 여주인공이 나오는 것하고 비교가 된다. 요즘은 컴퓨터 자판도 있고, 심지어 뇌과학도 발달해, 본 것을 직접 영상으로 출력 재생하는 것도 가능해질 거라는데 그렇게 되면, 혀를 뽑고 손을 자르는 걸로는 부족하겠는걸. 그런데 왜 라비니아는 말을 하려고 했을까? 말해 봐야 결국, 아버지 손에 죽고 마는데….

티투스는 포로로 잡힌 타모라가 탄원함에도 그녀 아들을 희생제물로 쓴다. 또, 단지 전 황제의 맏아들일 뿐 왕으로서 터무니없고 가증스러운 사투르니누스를 황제 자리에 앉힌다. 후에 티투스는 가슴을 치며 후회한다. '아, 로마여, 너를 비참하게 만든 것은 나다. 나를 이처럼 학대하는 저자를 황제로 모시라고 한 것은 내 잘못이었다'고. 사투르니누스는 황제가 되면서 자기 동생 바시아누스의 약혼녀이며 티투스의 딸 라비니아를 왕비로 취하려 했다. 이에 저항하는 바시아누스. 티투스는 바시아누스 편을 드는 아들 무티우스를 자기 손으로 죽이는데 이때, 사투르니누스는 티투스를 비난하며 라비니아를 버리고 포로인 타모라를 왕비로 들인다(라비니아에는 매력을 느끼지 못하고 타모라는 살결이 곱다고, 이런…). 타모라와 두 아들 그리고 타모라의 정부 아론은 음모를 꾸며 티투스에게 복수한다. 티투스의 불행은 잔혹했던 자기 잘못에 더해 참혹하고 잔인하게 이어진다. '권선징악(勸善懲惡)'에서 오로지 '징악'만이 춤을 추는 이 극에서 '권선'이랄게 있다면 책을 펼치고 막대기로 글을 써서 해낸 '라비니아의 폭로'가 아닐까. 라비니아의 폭로로 촉발된

복수의 카니발 끝에 티투스는 죽고, 추방당했던 티투스 아들 루키우스가 사투르니누스를 죽여 로마 군중들 앞에서 황제가 되며 극은 끝난다.

라비니아가 무엇을 잘못했을까? 황제 맘대로, 아버지 맘대로, 사랑하지도 않는 사람과 결혼할 뻔하고, 타모라와 그 아들들에게 강간당한 데 더해 혀와 팔을 잘렸다. 그녀는 안다. 아버지는 정조를 더럽힌 딸을 살려두지 않으리라는 걸*, 자신에게 주어진 선택지에는 죽음 아니면 치욕뿐이라는 걸, 여성의 이해는 완벽하게 제거된 세상이라는 걸, 그 악의 책임 소재가 어디까지 미쳐 있는지까지. 그러나 그녀는 수치스러운 상황에서 스스로 목숨을 끊지 않고 끝까지 살아서 말한다. 자신은 강간당했다고, 범인은 키론과 데메트리우스라고. 여성이 소유물로 취급되고 강간당한 책임이 여성에게 있다고 하던 시대**에 그것은 죽음을 각

---

* 티투스 …그런데 폐하, 여쭈어볼 말씀이 있습니다. 예전에 성급한 비르기니우스가 자신의 딸 비르지니가 폭력에 의해 정조가 더럽혀졌다는 이유를 들어 스스로 자기 오른손으로 죽인 것을 잘한 일이라 할 수 있겠습니까?
사투르니누스 그렇지, 잘한 일이지.
티투스 왜 그렇게 생각하십니까?
사투르니누스 왜냐하면 그런 치욕을 당한 딸을 살려두어서는 안 되기 때문이다. 그녀의 아비는 딸의 얼굴을 볼 때마다 슬픔을 새롭게 되새기게 될 테니까.
티투스 강력하고 설득력 있으며, 충분한 이유입니다. 비참한 저에게는 본보기이고 선례이며 생생한 보증입니다. 라비니아, 죽어라, 죽어. 네가 죽으면 너의 치욕도 죽어버린다. 너의 치욕이 죽으면 이 아비의 슬픔도 사라지겠구나! (라비니아를 죽인다)-『티투스 안드로니쿠스』 제5막 제2장.

** 『우리 본성의 선한 천사』 7장 「권리혁명」 '여성의 권리 그리고 강간과 구타의 감소'에서 스티븐 핑커는 반복되는 폭력의 역사에서 '강간은 인류가 즐겨 저지르는 잔학 행위 중에서도 고약하다'고 하면서 인류학자 도널드 브라운을 인용해 말한다. '강간은 여성이 아니라 남성에 대한 침해로 여겨졌다. 여자의 아버지나 남편에 대한 침해, 노예라면 그 소유주에 대한 침해로 여겨졌다.' '강간당한 책임은 여성에게 있었다.' '여성의 섹슈얼리티에 거듭 비유된 개념은 재산이었다.'

오해야만 하는 용기 있는 행동이었다. 그녀가 할 수 있는 가장 큰 저항이 지 않았을까. 그래서 나는 그녀가 그저 아무런 죄가 없는 불쌍한 희생양이기만 한 건 아니라고 말하고 싶다.

티투스 집안 서재는 요즘으로 보면 가상이든 실재든 '도서관'이다. 필로멜라, 비르지니, 라비니아…, 이름도 모양도 다른 이야기들이 저마다 고독하게 있다가 우연한 시간 무질서하지만 주기적으로 반복하여 누군가의 목소리가 되고 다시 기록된 것들이 삶을 이어가는 장소. '도서관은 사회의 축소판'이라 하고 '책을 불사르는 행위는 결국 인간을 불사르는 것과 같다'*고까지 하는 이유가 그것일 것이다. 티투스가 모래 위에 라비니아가 쓴 말을 구리판에 새겨 두었겠기에 그 모든 참사는 수치로만 기억되지 않을 것이다. 죄 없는 라비니아의 존재가 사투르니누스를 죽이고 황제에 오른 루키우스를 정당화한다. 타모라도 라비니아처럼 수치를 당했으므로 죽을 수밖에 없는 운명이었다. 살아남으려 죄악을 저지르는 타모라가 맞는 결과는 라비니아와 다르다. 그 후로도 오랫동안 수치를 당한 이들은 말도 꺼내 보지 못하고 들어 주는 이 없이 죽어갔다.

'한 권의 책이 존재하기 위해서는 그것이 존재할 가능성이 있다는 것만으로도 충분하다'는 보르헤스의 말을 곰곰이 생각해 본다. 오영진 신부님이 남겨 놓은 「매큔-라이샤워 표기법」에 따른 인명 표기 자료도 잘 정리해서 남겨 두면 좋았을 텐데. 무한한 정보의 세계에서 그것이 들

---

* 『도서관, 그 소란스러운 역사』에서 매튜 베틀스가 인용하고 있는 하이네의 말.

려주는 이야기 길이 언제 어떻게 열릴지 모를 일인데. 검색되지 않지만 있는 세상, 무한한 이름들, 삶들이 있는데.

책에도 운명이 있다*

동영상 속의 아이는 아주 차분해 보였다. 『국부론』이라 제목이 써진 두꺼운 책을 이리 넘기고 저리 넘기고 있었다. 내레이션 하는 이는 아이의 아버지다. 아이가 책을 좋아하니 천재인 줄 알았는데 알고 보니 그것이 자폐 증세였다고 한다. 책은 아이가 '선호하는 특정 감각을 편하게 사용하기에 최적화된 도구'였다. '그림이나 글씨의 패턴을 보거나 책장을 넘길 때 이미지가 바뀌는 것'을 보고, '책 페이지 모서리를 손가락 끝으로 만지작거리면서 넘기고, 책장을 입으로 뜯고 씹었다'고 한다. 결국 아이는 책과 많은 시간을 보냈지만 읽은 것은 아니었는데 그렇게 '책과 보내는 시간이 많아질수록 사람보다는 사물과 감각 전반에 몰입하면서 무표정이 되었고 부모로부터 멀어지기 시작했다' 한다.**

내게는 책을 보고 만지고 있는 그 아이의 모습이 예뻐 보였다. 그래서 혼자 물었다, 너도 저런 거 좋아하잖아, 그런데 넌 책을 왜 읽느냐고, 아니, 너는 지금 책을 "읽고" 있는 것이 맞느냐고. 작가 정희진이 말한다.

---

* 『사물의 소멸, 우리는 오늘 어떤 세계에 살고 있나』, 한병철 지음, 전대호 옮김, 김영사, 2022.

** <영재 아니라 자폐였던 아이: 책 이렇게 보면 위험신호, 자폐스펙트럼 증상>(성인황Iamgrowingup, https://youtu.be/lyE1sCLvpXY)

누군가 나에게 왜 책을 읽느냐고 묻는다면 이렇게 대답할 것 같다. "아파서요 책을 읽으면 좀 덜 아프거든요." 이는 나만의 이유가 아니다. 누구나 몸이 아프거나 기분이 상할 때 혹은 고통으로 인한 죽음 직전에도 책을 읽으면 위로받는다.* (『정희진처럼 읽기』 프롤로그에서)

'또하'라 불리는 동영상 속 아이에게도 책은 그런 용도였던 것 같다. 아이는 책으로, '감각 처리 문제로 발생하는 자신의 불안감을 조절하고 있었다'고 하니까. 아이 아빠는 필기도 안 한 노트를 넘기는 걸 보고 기함했다고 한다. 그런데 어쩌면 책은, 우리가 내용을 "읽기" 전에 이미 그 물성만으로 괴로움을 덜어주거나 슬픔을 달래 주는 기능을 하고 있지 않을까? 그렇다고 해도 또하는 아직 "책을 읽는 게" 아니다. 독서에 대한 정희진의 말을 계속 들어 본다.

기분이 전환되고 타인의 처지를 이해하고 나를 돌아보게 된다. 아픈 상황에서 딴 곳으로 이동할 수 있고 덜 아프게 된다. 좋은 책은 세상이 내게 주는 선물, 생명, 세로토닌(행복감을 생산하는 뇌의 화학 물질)이다. 위로는 깨달음에서 온다. 이 위로가 몸에 습관이 되어 독서의 즐거움에 중독되면 다른

---

* 책을 좋아하는 한 사람으로 충분히 공감한다. 한편, 우리나라 19세 이상 성인 중 1년간 책을 한 권 이상 읽은 사람 비율이 52.1%, 한 권도 읽지 않은 사람도 그만큼 많다. 초등학생 때 가장 많이 읽고 중고등학교 거치며 줄다가 성인이 되면 급격하게 준다. 50대가 넘어가면 책을 잘 읽지 않는다고 한다. 책을 읽는 성인의 연간 종합(종이책+전자책+오디오북) 독서량은 13.2권, 성인의 연간 도서 구입량은 2.5권 그 구입비는 3만 5천원(2019년 국민 독서실태 조사). 팬데믹 후 2021년 보고서는 그마저도 감소했다고 한다.(「지난 해 책 한권이라도 읽은 한국 성인 비율 절반도 안 됐다」, 한겨레 2022년 1월 14일 기사 참조).

일에는 흥미가 떨어진다. 즐거움(樂)에 풀잎을 얹으면, 약(藥)이 된다. 책은 즐거움이자 풀잎이자 약물이다.*

정희진이 책을 통해 받게 되는 위로는 '읽는다'는 행위에서부터 시작한다. 읽어야 깨달음이 오고 깨달음이 있어야 위로를 받는 거니까. 그렇다면 정희진은 '책을 읽는다'기보다 '글을 읽는다'고 해야 하지 않았을까? 또하가 책을 읽은 게 아니라는 말도, 아이가 책을 보고 만지기는 했어도 그 속에 담긴 글이나 그림 등을 읽지 않는다는 뜻이리라. '책은 즐거움이자 풀잎이자 약물이다'라는 정희진의 표현이 절실하게 와닿으면서도 여기엔 무언가 빠진 것 같다는 생각이 들었다.

책이란 오랫동안 '종이를 여러 장 묶어 맨 물건'이었다. 그 종이의 시작은 진짜로 풀잎이고 지금도 책은 식물체의 섬유에서 추출한 펄프로 만들어진다. 어린 또하는 씹고 뜯고, 어른 정희진은 약처럼 먹는 "책". 정희진이 '독서는 내 몸 전체가 책을 통과하는 것이다'고 한 말은 매우 적절하다. 사람이 목소리로, 글로, 그림으로, 그 무엇으로든 표현하는 모든 건, 그것을 전달하는 몸이 필요하다. 책은 정신과 몸을 지닌 사람처럼 영성과 물성을 함께 갖고 있다. 그래서 나는 말하고 싶다. 또하의 읽기나, 정희진의 읽기나 모두 책 읽기 아닌가 하고 말이다. 책을 읽는다는 건 이렇게 두 가지를 합쳐야 하는 게 아닐까?

사춘기, 땅거미가 내려앉을 무렵 작은 방구석에 쭈그리고 앉아 아직

* 『정희진처럼 읽기: 내 몸이 한 권의 책을 통과할 때』, 정희진, 교양인, 2014, 12쪽.

남은 어렴풋한 빛에 책등 위 글자들을 보고 있으면, 왠지 마음이 가라앉고 평화로웠다. 서점 좌판 위에서 유난히 흰빛으로 유혹하던 영어 독해 문제집은 해가 다 지도록 존재감을 잃지 않았다. 책 읽는 건 늘 칭찬하시던 아빠 몰래 가슴 설레며 읽던 『제인 에어』 『고원에 심은 사랑』 같은 소설들, 짝사랑하던 성당 오빠에게 차마 전하지 못했던 시집, 성장통 가득한 이야기들, 심부름 보냈더니 서점 아저씨에게 혼났다고 투덜대던 남동생 소리 시끄럽던 『채털리 부인의 사랑』도 있었다.(프랭클린 자서전, 카네기 인간관계론, 그런 책은 기억에 없구나.)

그런 추억 때문인지 모른다. 나는 도서관에서 자원봉사를 한다. 한 번에 몇백 권씩 책을 만진다. 코로나 시국이라 소독도 꼭 필요하니까 소독 티슈로 문질문질 책 전체를 비벼대기도 한다. 어떨 땐, 책이 길 잃은 어린 고양이같이 손바닥과 손가락 사이로 이리저리 비비적거리는 것 같다는 생각이 들 때도 있다. 우습게도 나는 고양이 털에 알레르기가 있다. 그처럼 책을 만질 때면 마스크를 써도 풀풀 이는 먼지에 재채기는 필수다.

또 다른 도서관에서는 망가진 책을 고치는 봉사를 한다. 『어느 책수선가의 기록』을 펴낸 재영 책수선가가 정의하듯 '책을 수선한다는 건 그 책이 살아온 이야기에 귀를 기울이고, 그런 모습들을 존중하는 마음이다.'* 책을 수선하기 전, 훼손된 부분을 구석구석 살핀다. 공공도서관

---

* 『(망가진 책에 담긴 기억을 되살리는) 어느 책수선가의 기록』, 재영 책수선, 위즈덤하우스, 2021, 6쪽.

책에는 특히나 여러 사람 손길이 닿아 있다. 몇몇 특이한 경우를 제외하고 삼만 원이 넘는 고가 책은 드물다. 사람들이 많이 보는 소위 최신 베스트셀러들의 경우, 화려한 표지와 달리 정신없이 찍어 낸 무선제본이 보통이고 종이로 된 특성상 무르고 약하다. 이런 물건이 무수한 사람 손을 타서 변하는 그 모습은 상상할 수 없을 정도이고 예측할 수도 없다. 망가진 책을 수선하는 방법을 모아 놓은 매뉴얼도 있고 짬짬이 교육도 받는다. 유튜브에 올라 있는 수많은 동영상으로 공부도 한다. 재밌는 건, 사람의 손을 탔기 때문인가 훼손된 모양이 어쩌면 그렇게 하나같이 다른지, 정해진 방법도 있고 권장 절차도 있지만 종이접기처럼 딱딱 맞아떨어지는 경우 없이 제각각이라는 점이다.

이번 주엔 칼 세이건의 『코스모스』를 작업하고 있다. 검은 벽돌처럼 단단한 720쪽짜리. 넌 어디가 아프니? 모두 13장으로 이루어져 있는 내용 가운데 처음 두 장, '코스모스의 바닷가에서'와 '우주 생명의 푸가'가 떨어져 있다. 한두 장 떨어져 있으면 그것만 접착제 사이로 밀어 넣어 붙이지만 이렇게 100장 정도가 떨어져 나가면 책을 통째로 뜯어 다시 풀칠해 묶곤 한다. 그런데 세 번째 장 이후의 종이들은 참으로 견고하게 붙어 있었고 책이 너무 두꺼워 전체를 다시 한다는 건 엄두가 나지 않았다. 그래, 앞의 100쪽을 잘 다듬어 가지런하게 붙여 보자 하고 한 장 한 장 상태를 살펴보았다. 점입가경…. 군데군데, 여러 번 떨어졌었는지 여러 사람의 손길로 불규칙하게 풀칠이 되어 있었고, 어느 곳은 투명 테이프가 사이사이 빽빽하게 붙어 있었다. 어이가 없어 웃음이 났다. 사람 사는 모양은 다 다르다지만 똑같은 건 어쩜 이리 똑같을까. 서울대생 필독서라니 사람들이 많이도 빌렸을 테지. 이리 두꺼우니 시간에 쫓겨 반납했을 것이다. 시간이 있다고 해도 아마 두 번째 장 정도까지 읽고 끝까지 전부 읽기는 겁이 났거나 포기했을 것이다. 유튜버나 연예인, 학자들 말고 꼼꼼하게 다 읽은 사람을 지금까지 주변에서 딱 두 명 보았다. 나만 끝까지 못 읽은 건 아니네. 넷플릭스에 있는 다큐라도 본 게 다행이네. 그러면서 한편으론 섭섭하다. 떨어졌으면 떨어졌다고 말을 좀 해주지 이렇게 테이프를 붙여 버리면 어떻게 하나 말이다. 어차피 책 자체가 낱장 종이를 접착제로 붙여 묶었으니 잘 떨어질 수밖에 없다. 그 앞에서 누군가는 진짜 부주의했겠고 또 누군가는 자신 탓을 했을 것이다…. 헤진 곳은 보강하고, 풀이 떡이 돼버린 곳, 테이프를 붙여 놓은 곳을 잘라서 정리했다. 패잔병 같던 책이 다시 살아 서가로 돌아갔다. 부디 2장까지 해 놓은 이 누군가의 노력을 살펴, 3장 '지상과 천상의 하모니'로 4장 '천국과 지옥'으로 용기 내 읽어 나가는 이가 한 사람이라도 더 있기를. 마지막 13장의 제목은 '누가 우리 지구를 대변해 줄까'다. 그 부분을 펼쳐 읽어 본다. 책등이 꺾이진 않는지, 고친 부분의 흐름이 끝까지 어울리고, 책이 전체적으로 안정감 있게 고쳐졌는지 궁금해서다.

일본 것을 번역한 어린이책 『살아있는 직업 그림 사전』은 처음 보는 책이다. 『코스모스』에 풀칠해 놓고 마르길 기다리는 사이 고쳐 보기로 한다. 아이들 책은 아이들이 좋아하면 할수록 찢기고, 뜯기고, 사라지고 변형이 심하다. 보는 아이들 나이가 어릴수록 이것저것 묻어 있는 게 많다. 우리 아이 어릴 적 소방관, 소방차, 경찰관, 경찰차, 그런 그림들이 있는 책을 좋아하던 시간이 잠깐 스쳤다. 하지만 곧 기분이 좋지 않다. 직업과 관련된 많은 사물 이름이 깨알처럼 박혀 있었는데 일본 신사와 승려가 절과 스님으로 소개되고, 나도 태어나서 처음 보는 신사 물건들이 우리 말인 것처럼 시시콜콜하게 소개되어 있다. 책 만듦새도 전혀 배려가 없다. 꽤 크기가 있는 책인데 소책자처럼 가운데를 기계로 드르륵 박아 껍데기만 씌워 놓았다. 이 책은 아이들이 좋아해서 망가졌다기보다 처음부터 뒤틀리고 찢어지기 쉽게 만들어졌다. 엄마들은 아이들이 어서 빨리 무언가 되길, 그걸 꿈으로 갖길 바랐을 것이다. 아니, 아니야, 일본에서 한국으로 시집왔거나 일본어 쓰는 사람들이 말 배우길 바라면서 읽었을까. 실을 풀어 펼쳐서 찢어진 곳을 잘 붙이고 다시 꿰맸다. 부스러진 겉표지를 보강해 다시 쌌다. 어떤 이들이 무슨 사연으로 이 책을 만나는지 상상하기 어려워도 그들에게 내 서툰 손길이 소박한 물음표로 다가가길. 김초엽이 『책과 우연들』에 그린 '책이 있는 일상'처럼.

나는 이 결말의 일시적인 평화가 좋았다. 책은 갈등을 봉합하지 못한다. … 이렇게 균열된 양쪽 세계 사이에서 이따금 우연한 충돌이 일어난다. 읽을 생각이 없던 책을 우연히 집어 드는 사건. 서가를 무작정 따라가다 한 번도 들여다본 적 없는 분야의 서가에서 헤매게 되는 일. 말도 섞을 일 없다고 여겼던 이들과의 독서토론, 그 우연한 충돌도 균열을 꿰매지는 못하지만, 잠시나마 적과 어깨를 맞대고 눈을 붙이게 한다. 책은 찬찬히 생각하게 하니까. 눈앞의 낯선 세계를 곰곰이 살피게 하니까.*

현대 디자인 라이브러리에서였다. "저, 테이블에 전시된 책은 장갑을 끼고 보셔야 해요." 젊은 남자 사서가 지적한다. 야속한지고. 1940년대 미국 집들을 둘러보고 있었다. 바삭 넘어가는 종이의 촉감에 손끝이

* 『책과 우연들』, 김초엽, 열림원, 2022, 234쪽.

설레었다. 사진 속 가구들의 표면을 만지고 있는 듯했다. "죄송합니다." 나는 얼른 비치된 라텍스 장갑을 낀다. 눈앞에서 세상이 바뀐다. 내 손은 장갑 속에서 땀만 삘삘 흘렸다. 1940년대 미국 거실 모습은 갑갑한 라텍스 고무장갑으로 기억되었다.

희귀한 책을 볼 때 하얀 면장갑을 끼는 건(아니, 그 어떤 장갑이라도) 오히려 책을 더 망가뜨릴 수 있다. 희귀하거나 상태가 좋지 않은 책을 만질 때 가장 좋은 방법은 사실 맨손으로 만지는 것이다. 대신 손을 비누로 깨끗하게 씻고 핸드크림도 바르지 않은 채로! … 그럼 라텍스 장갑을 끼면 안 되냐고? 물론 그것도 안 된다. 맨손으로 종이의 상태와 무게를 직접 가늠할 수 있을 땐 사람들은 무의식적으로 종이를 조심스럽게 넘긴다든지, 만지기를 멈춘다든지 한다. 하지만 장갑을 끼면 손끝 감각이 함께 차단되어 둔해진다. 게다가 라텍스 장갑은 종이와의 마찰력이 높아지기 때문에 특히나 오래된 종이라면 더 쉽게 찢거나 구겨버리는 불상사가 발생할 수 있다.*

『사물의 소멸』에서 한병철은 '촉감은 모든 관계의 본질적 요소다. 신체적 접촉이 없으면 결속이 발생하지 않는다'**고 말한다. 그는 벤야민이 인용한 "책에도 운명이 있다(Habent sua fata libelli)"라는 라틴어 속담을 소개해 준다. '책은 사물로서, 소유물로서 존재하는 한에서 운명을 가진다. 그런 책은 역사가 남긴 물질적 흔적들을 보유하고 있다.'***

---

* 『어느 책수선가의 기록』, 210~212쪽.

** 『사물의 소멸』, 한병철, 김영사, 2022, 31쪽.

*** 『사물의 소멸』, 30쪽.

벤야민의 글을 찾아 읽어 보았다. 「나의 서재를 정리하며unpacking my library」라는 글이었다. '단테의 신곡, 스피노자의 에티카, 다윈의 종의 기원 같은 책에는 그들만의 운명이 있다. 수집가는 이 말을 다르게 해석한다. 책만 아니라 그 책들의 복제품에도 운명이 있다.'

우리가 손에 들고 읽고 있는 책은 사실 인쇄해서 복제한 물건이다. 그러니 '사물'로서의 책도 저 나름대로 이야기가 있다. 즉, 사람의 흔적을 간직한다는 얘기다. 재영 책수선가도 말했다. '찢어진 종이를 붙이고, 무너진 책등을 바르게 세우고, 사라진 조각을 채우면서 책이 잃어버렸던 기억을 회복시켜 주고, 새로운 커버나 지지대, 혹은 케이스를 만들어 주며 책에게 새로운 시간을 약속하다 보면 사람의 인생처럼 책에도 한 권, 한 권 각자만의 책 생이 있다는 생각이 든다'*고.

오늘날과 같은 정보 시대 한병철이 본 예술은 '물질을 의도 없이 사물로 조형하는 수작업이 더는 아니며' '생각을 소통하는 생각 작업'일 뿐이고 예술품은 본래 사물임을 잊었다.** 그에게 '정보'는 '반(反)사물'이다. 노동과 손을 열렬히 신봉한 하이데거의 의견을 빌려, '생각하기는 수작업이다. 손은 생각하기를 확고한 아날로그 과정으로 만든다'고 말한다. '운명이란 건 디지털 세상에는 어울리지 않는다. 그래서 전자책은 사물이 아니라 정보'라며 '인공지능은 생각하지 못한다. 왜냐하면 인공지능은 손이 없으니까'라고 단언한다. 한병철이라는 인물에 대해 극과

---

* 『어느 책수선가의 기록』, 165쪽.

** 「예술에서의 사물 망각」, 『사물의 소멸』, 91~99쪽.

극의 이야기가 인터넷에 돌고 있었다. 호기심에 한번 훑어보려던 책을 끝까지 읽게 만든 건 이 "손이 없는 인공지능은 생각하지 못할 것"이라는 말이었다.

나는 한병철이 소개하는 '충심의 사물' '주크박스' 대신에 '책'을 대입해 보았다. 그리고 고개를 끄덕였다. '주크박스[책]의 마법은 그 사물이 주변적인 것들, 아무것도 아닌 것들, 평범한 것들, 통상적인 것들, 또는 덧없는 것들에게 현대를, 여기 있음을, 집약성을 부여하는 것에 있다. 사물은 존재를 강화한다.' '오랜 사용이 비로소 사물에게 영혼을 준다. 오직 충심의 사물만 영혼이 있다 … 그는 확실히 나보다 더 오래 살 것이다. 이 생각이 왠지 위안이 된다.'*

현대사회에서 사물들은, 더 이상 사람 손길이 닿지 않으면, 그냥 쓰레기가 되어 버린다. 빠르게 디지털화되어 가고 있는 세상이니 책은 곧 사라질 것이라고, 그러니 도서관은 더 필요하지 않다고 외치는 자본주의자들의 목소리도 높다. 하지만 디지털화된 정보라는 것 역시, 분산되어 남겨진대도 생각보다 큰 저장, 연결 공간이 필요하고, 이런 물리적 공간은 숭례문이 타버린 것보다도 더 허망하게 존재 기억을 날려 버릴 수 있다. 그래서 내가 가진 작고 평범한 사물에 담긴 흔적이 더욱 소중해진다.

또, 아날로그 복제품인 책을 디지털 자료로 옮기는 일엔 그 작업에

* 「하이데거의 손」, 「충심의 사물」 in 『사물의 소멸』, 99~112쪽.

동원되는 육체노동자들의 존재가 필수라고 한다. 아나소피 스프링어와 에티엔 튀르팽이 엮은 『도서관 환상들』에서 읽은 말이다. '사람의 흔적이 느껴지지 않는대도 디지털 프로세스 안에는 언제나 익명의 누군가가 존재한다…. 구시대적이고 기꺼이 고독한 책이라는 영역만큼 의도적으로 지워진 인간 존재에 대한 증거가 슬프고도 아름답게 남을 수 있는 곳이 과연 있을까?'*

오늘도 어린이 자료실에 신나게 뛰어 들어오는 아이들을 본다. 도서관 인기 최절정의 책 『흔한 남매』 시리즈를 볼 수 없냐고 찾아 달라는 아이들이, 그 손에 끌려다니는 엄마 아빠들이 데스크로 서가로 왔다 갔다 한다. 쿠키런, 카카오 프렌즈, 텐텐, 마법천자문 같은 만화책들이 무더기로 서가에 돌아오면 아이들은 신이나 모여들고, 한 아름 들고 가 쌓아 놓고 읽다가 북카트에 우다다 던져 넣는다. 아이들 손가락이 바쁘게 닿은 책은 종이가 군데군데 찢기고 가끔은 사탕이 끈적하게 붙어 들어오기도 한다. 함께 보는 책 깨끗하게 봐야 한다고 타이르기도 해야 한다지만 나는, 녀석 책이 참 달았겠구나, 책을 읽는 건지 밥을 먹는 건지 몰랐을 거야 싶어 속으로 웃는다. 물론 종이가 쩍 하니 붙어 버리거나 젖어서 혹은 강아지가 물어뜯어 책이 끝장이 나 버리면 그렇게 만들어 버린 녀석들은 꼭 한 번 만나 얘기해 주고 싶은 맘이 들기도 한다. 어쨌거나 나는 스마트폰 세대인 아이들에게도 책은 여전히 끌리는 물건인 건 틀림이 없

* 『도서관 환상들』, 아나소피 스프링어, 에티엔 튀르팽 엮음, 김이재 옮김, 만일, 2021, 38쪽, 「앤드루 노먼 윌슨: 스캔옵스(ScanOps) 2012~2014」. 「스캔옵스」란 앤드류 노먼 윌슨이 구글북스를 샅샅이 뒤져서 디지털화 작업에 동원된 육체노동자의 존재를 누설하는 페이지들을 찾아낸 뒤 인쇄해 엮은 시리즈.

다고 믿는다.

결국 책이든 디지털 정보든 사람이라는 존재가 묻어 있고, 이는 손으로, 손가락으로, 부지런히 일해 만져 주어야 존재할 수 있으며, 오래오래 살아간다. 굳이 의식해야 하는 일도 아니고, 마법처럼 저절로 매혹되는 일이라 말해 주는 이들이 있어서(또하의 모습이 그래서 내게 예뻤나 보다), 그 사실이 인간 존재에 위안이 된다고 하는 그들이 있어서, 그 사이로 어떻게든 들어가 같이하고 싶다는 욕망이 조용히 일었다. 그러니 오늘도 책을 부지런히 서가에 정리해 꼽고, 수선하고 또, 글을 쓴다. 나는 도서관이라는 참으로 시끄러운 고독 속에 있다. 언젠가 나 같은 누군가가 내 손길이 스친 책을 지금 나처럼 바라봐 주는 일도 일어나겠지. 어슴푸레 보이는 책등의 글자를 흘낏하기도 하겠지. 한번 만져 주리라 그리고 펼쳐 읽어 주리라 상상만으로도 나는 지금 여기에서, 기쁘다. 훗, 꿈 깨라는 소리가 여기저기서 들린다. 어디까지나 이 모든 노력은 아직 '나'의 차원에 있다.

위대한 유산

"야, 이런 ○○놈○끼, 개○끼야!"

내 차 보닛을 탕탕 치며 지르는 소리이니 나한테 하는 소리가 맞다. 태어나서 처음 들어 봐, 이런 소리. 영화 <베테랑> 같은 데에서나 듣던 말이다(옮겨 보려 했더니 맞춤법도 모르겠네). 딱 그런 말을 좀 하게 생겼다. 개구리 다리에 헐렁이는 바지, 짙은 남색의 낡은 점퍼, 방한모자, 검게 그을러 잘게 접었다 펼친 것같이 구깃구깃한 얼굴. 얼굴까지 어떻게 보았느냐면, 아저씨가(맞다. 이러는 아줌마는 본 적이 없지) 차를 탕탕 치면서 앞 유리창 쪽으로 얼굴을 들이밀고 기웃기웃했었기 때문이다. 듣고 있는 나는 MBTI 검사 결과 INFP에 A형 피가 도는 유리멘털('멘털이 쿠크다스'라고 표현하는 사람도 있더군) 소유자. 갑자기 눈물이 뿜어져 나올 것만 같은 일촉즉발의 상황이다.

놈, 아저씨는 분명 '놈'이라고 했다. 왜 저래, 눈 안 좋은가 보네, 차 선팅 있는데 보이겠냐, 뻔해. 나는 흥분해서 정신없이 말들을 쏟아 내고 있었다(물론, 속으로만). 빨간 차니까 여자가 운전한다고 생각했겠지, 큰 차 아니라고 얕보는군, 무식한 사람 같으니라고, 그렇다고 차를 탕탕 치고 욕지거리라니, 사람을 뭘로 보고, 평생 배운 게 쌈질인가 등등. 그런데 아저씨, 열여덟 해가 어쩌고 하지 않고 '놈'이라 하고 있다. 생경한 그의 욕이나 발화되지 않은 나의 분노나 모든 게 공허해지는 단어. 나는 '놈'이 아니니, 그의 욕이 내게 정확하게 닿지 않고 나의 욕 아닌 욕 역시

어이없긴 마찬가지다. 상황에 맞는 감정인지는 모르겠으나 순간 '다행'이라는 생각이 들었다. 서로 놀랐고, 서로의 말은 그 놀랍고 두려운 감정을 허둥지둥 쏟아 낸 결과였던 거다. 정신이 들었다.

잠이 좀 부족했다. 아들 학원엘 데려다주고 멍하니 우회전하다 보니 대각선에서 차들이 신호를 받아 다가오고 있었고, 당황해 서고 보니 횡단보도 위였던 거다. 보행신호등은 켜져 있고 건너는 사람이 없어서 나는 움직였다. 달려와 길을 건너려던 아저씨는 목숨에 위협을 느꼈던 거다. 내가 마치 영화를 보듯 안전하게 상황을 지켜볼 수 있었던 건 탕탕거리는 아저씨의 주먹질을 막아 주는 철판을 두른 자동차 안에서 짙은 선팅으로 나 자신을 숨길 수 있던 덕분이었다.

결론을 말하자면, 그 아저씨의 격한 지적은 옳았다. 우회전에 관한 법규가 강화된다. 그러고 보니 차를 두드렸으니 아저씨 손만 아팠겠군. 그렇게 달려드는 바람에 지레 겁먹어서 황급히 돌아 나왔잖은가 말이다. 아침에 좀 정신없는 이가 실수했거니 생각해 주지 좀, 하고 서운했던 마음이, 그 실수로 엄청난 가해자가 되지 않은 것이 천만다행이고, 정신 좀 차리고 얼른 죄송하다고 했어야지, 하는 반성이 되었다. 그래도 '○○놈○끼, 개○끼' 하는 소리는 머릿속에서 여간해 사라지지 않았다. 욕을 하며 길을 가던 그 아저씨는 내가 아는 누구와도 닮지 않았다. 그런데 헐렁한 그 바짓자락만은 낯설지 않았다.

횡단보도를 건너가는 흰 다리와 헐렁한 바지가 그렇게 쓸쓸하고 안타까울 일일까? 욕을 하는 아저씨의 호통 소리가 그렇게 슬플 일인가? 마음이 쉽게 가라앉지 않는다. 이야기가 하고 싶다. 무슨 이야기를 하고 싶다는 걸까? 무언가 있는데, 하기도 했는데, 하지 않은 것만 같고 그러면서 그런 것이 있었나 싶어지기도, 그것이 맞는가 싶어지기도 한다. '글쓰기는 아기를 낳는 것과 같다. 이것이 최선이다, 하는 지경까지 애를 쓸 수밖에 없다.' 아기를 낳아 본 적도 없이 34살에 요절한 시몬 베유가 한 말이다. 나는 무언가를 애써서 기억하려 하면서도 또 그것을 기를 쓰고 모르고 싶다.

여름, 그 열기엔 아무리 무다리라도 반바지를 입지 않을 수 없다. 나는 10년을 넘게 입어 온 여름 면 반바지를 버렸다. 이렇게 덩치 큰 내가 입어도 흘러내리는 바지를 입고서 아빠는 연신, 바지춤을 잡아 올리느라 구부정하게 걸었다. 가뭄에도 비를 몰고 다니던 아빠와 긴 장마가 함께 지나가고 있었다. 아빠가 3년 정도 앓은 병의 이름은 여전히 모른다. 돌아가시기 2주 전 갑작스럽게 그것이 혈액암의 일종이라고만 들었을 뿐이다. 피부암도 아니고 피부병으로 죽었다는 사람은 없다고들 했다. 하지만 그건 단순한 피부병이 아니었고, 우리나라에서 한두 케이스 보고가 있을 뿐인 희귀병이어서, 만난 의사 선생님들 모두 진단해 내지 못했다. 내내 몹쓸 증상만 있고 실체는 알 수 없는 병이었다. 성경에 나오는 욥이 그랬을까? 온몸이 불타오르는 듯하고 살갗이 계속 벗겨져 피부가 이제 막 어미 배에서 나온 어린 짐승 같았다.

스스로 물이 많은 체질이라고 말하곤 하는 엄마는 매일 아빠의 몸무게와 혈압과 당수치와 소변량, 식사량과 식사 종류 등을 기록하고, 땀을 뻘뻘 흘리며 몸에 약을 바르고 보습제를 바르면서, 이름은 물론 형체도 없는 적과 싸우며 하루하루를 견뎌 내고 있었다. 이때 엄마가 남겨 놓은 간호 일기를, 아빠가 돌아가신 지 13년째 되는 요즘에서야 처음 읽었다.

그 여름, 병원과 직장을 왔다 갔다 하던 마지막 시간들, 엄마가 기록하고 있던 것은 알았지만, 그걸 읽어 볼 생각은 못 했다. 엄마도 보여 주려 않고 묻어 두고만 있었다. 보여 줄 수 있냐고 물어보았다. 엄마는 조금 망설였다. 찾아보겠다고 했다. 그리고 이 기록을 보여 주면서, 보여 주려고 다시 읽어 보다 며칠 잠을 못 자고 마음이 아팠다고 했다. 내가 엄마 이야기를 하겠다고 했을 때 엄마는 그랬다, 책이 나온다고 해도 나만 읽어 보련다, 책을 썼다고 친구들에게도 말하지 않을 거라고. 그래요, 괜찮아요, 누가 듣던 그저 한번 말이나 해보려고요.

'상을 다 치르고 기억을 되새기며 쓰는 것이다 … 사람이 야속하다. 며칠 되지도 않았는데 기억이 잘 안 난다.'

아빠가 가신 그날은 기록이 아니라 이렇게 엄마의 안타까운 기억으로 남았다. 호흡이 멎고, 의사가 사망 선고 하기까지, 언제 아이들이 왔고, 그 아이들이 울어서 가여웠고…. 나 역시 그날, 밤을 지새우고 함께 맞은 아침이었는데, 10년이라는 시간을 훌쩍 넘어 그런지, 그날의 일들이 도무지 떠오르지 않는다. 무슨 일이 있었나.

'정신없이 일이 닥쳐 밀려서 여기까지 왔다. 6개월을 병원에서 함께 했지만, 요즘은 잠깐잠깐 이별을 생각하고 가슴이 맵고, 따가워, 애들 아버지 몰래 혼자서 울기도 했지만, 시신을 꼭꼭 싸서 냉동실에 넣었어도 믿기지가 않는다.'

읽기가 얼마나 힘이 들었는지 모른다. 이걸 왜 이렇게 읽어야 한다고 하는 건지 나에게 묻고 또 물으며 짙은 갈색의 노트를, 열었다, 덮었다 한다. 54킬로라는 몸무게를 보니 하얀 병원 침대와 함께 한없이 야윈 아빠의 모습(환갑 지난 연세에도 평행봉에서 훨훨 날던 단단한 몸은 어디에)이 떠오른다. 곁에서 모든 것을 날것으로 겪어야만 한 엄마의 고통과 안타까움, 슬픔이 노트를 가득 채운다. 엄마는 견디고 견딘다. 견뎌야만 한다며 견딘다. 그리고 기도한다. 그러다가 아무래도 현실이 어찌할 수 없이 휘몰아쳐만 들 때 엄마는 이렇게 탄식한다.

'난 왜 이렇게 태어났을까 … 좀 더 괜찮은 인생도 많은데 왜 하필이면 더 나쁜 것만 바라보고 나는 좀 낫다, 하고 참고 웃으라는 걸까. 왜 나만….' '왜 나는 이런 운명을 타고났을까 … 이럴 때 내 살붙이 형제라도 하나 있었으면 얼마나 좋을까. 남들은 다 있는 그런 형제도 하나 없는 외톨이….'

조금 움직이기만 해도 젖었다 마른 습자지처럼 찢어지던 아빠의 그 상처가 떠올랐다.

'야속한 사람 … 미안해요! 아무튼 나 미치겠어요, 여보! 보고 싶은 마음에 달려가 만나는 보고 싶은데, 아! 참, 한편으로는 속도 상해요. 난 어째서 이 세상에 나오지 말게 하든지, 왜 나오게 해서, 사람들 앞에 마음 놓고 내놓을 수 없는 인간으로 나왔나, 하고요 … 내가 이런 말 하는 이유를 당신은 잘 알죠….'

얼마 전 외할아버지가 돌아가셨다. 코로나 때문에 가족들이 임종도 지키지 못했고 장례도 하루로 끝냈다. 엄마는 삼촌들이랑 이모랑 장지에 다녀올 동안 외할머니와 함께 있게 되었다. 장례식장에서 이모는 내게 만나자마자 대뜸 물었다. "잘 살지?" 나는 못 살지는 않으니 그렇다고 답했다. 삼촌이나 이모나 안 본 지가 20년이든가, 30년이든가 한다. 악수로 인사하며 찬찬히, 푸석하고 주름이 접힌 얼굴과 흰 머리카락을 지우고 옛 모습을 기억해 낸 것이 나름 대견하게 느껴질 정도다. 그들도 나하고 같을 것이다. 시간은 온화하게 흘렀다. 엄마만 외할머니 집에 남겨 놓고 나는 집으로 돌아왔다. 다시 그 집 앞에서 엄마를 태우고 강남고속버스터미널까지 모셔다드렸다. 터미널에서 엄마는 허기진 듯 식사, 커피에 단 케이크까지 허겁지겁 드신다. 외할머니는 치매가 있으셔서 엄마 이름도 모르고 엄마가 누군지도 모른다고 한다. 그 말을 들으며 나는 속으로 '모르는 척하는 건 아닐까?' 하고 모질게 생각해 본다.

'그분들은 나의 친부모님이다. 난 마음속 깊이 언제나 그렇게 생각한다. … 그런데 내가 남편을 잃고 이렇게 힘이 드는데 그저 사위라고는 여기는지 남들도 해주는 전화 한 통화가 없다. 찾아주는 것은 감히 바라지도 않는다. 궁금하지도 않은가 보다. 막상 이렇게 혼자이고 보니, 너무나 그립고, 전화라도 한 통화, 하고 기다려진다. 에이, 바랄 것을 바라자, 하고 내팽개치다가도 다시금 전화벨 소리에 귀가 간다. 잘들 계시나 오늘은 무척 보고 싶네.'

벤츠를 타고 온 큰삼촌에게 엄마는 인감과 위임장, 도장을 넘겼다. 법적으로는 형제지간이기 때문이다. 인감과 도장을 돌려받으면 아마도 이젠 다시 만날 일은 없을 것이다. 엄마 마음속 연은 어떻게 이어져 있는지 모를 일이지만.

'나의 육신의 어머니는 나만 보면 그리고 무슨 말만 하면, 네가 복이 없다고 입버릇처럼 말씀하신다. 그때마다 난 나도 모르게 반감이 든다. 다른 이들 모두가 다 그렇게 말들을 해도 적어도 어머니라는 분은 자식에게 할 말이 아닌 듯하다. 어느 땐가 하룻밤 자고 오려고 갔다가 그 말을 듣고 마음이 180도 달라져서 어둡기 전 집에 가야겠다, 하고 나온 적이 있다. 최고로 기분이 안 좋다.'

늘 참고 남을 더 배려하며 표현이 소극적인 엄마다. 우유부단하지 않은가 하는 생각이 들 때도 많았다. 괜찮다고 하니 괜찮은 줄만 알았는데, 엄마의 마음속에도 단호한 면이 있었다. '최고로 기분이 안 좋다'를 읽는 순간, 그런데 나는 이상하게도 기뻤다.

도대체 그 '복'이란 게 뭔가. '복'이란 말을 사전에서 찾아본다. '삶에서 누리는 좋고 만족할 만한 행운 또는, 거기서 얻는 행복' '배당되는 몫이 많은 것을 비유적으로 이르는 말'이란다. 팔자가 사납다는 뜻의 '박복하다', 운수 따위가 사납고 복이 없다는 뜻의 '기박하다'도 있다. 어지간히 복이 없다는 뜻의 '헐복하다', 운명이나 팔자가 기구하고 복이 없다는 뜻의 '명박하다'는 말도 있다는 걸 알았다. 안상순의 『우리말 어감 사전』에 의하면 '복'이란 '삶에서 누리는 좋은 운수'를 가리킨다. '삶을 풍요롭고 활기차게 해주는 상서로운 힘'으로 전통적으로 우리 문화에서는 '장수하는 것' '부유한 것' '건강한 것' '좋은 덕을 가진 것' '명대로 살다가 편안히 죽는 것' 등을 일컫는다.

그런데 엄마, 할머니가 엄마더러 복 없다, 그랬다니까 나까지 기분이 안 좋았어요. 60년 동안 어디 있었는지도 몰랐던 할머니가 엄마라지만 뭘 아신다고 '복 없다' 그러지? 무슨 뜻으로 하는 말씀이었을까요? 아빠랑 백년해로 못 하고 혼자가 되어서? 부유하지 않아 보이니 그런 걸까? 복 없어서 버렸다는 그런 못된 말은 아닐 거고, 부모 자식 될 인연이 없었다는 자기 팔자에 대한 한풀이일까? 이 세상에 '복'이라고 말할 수 있는 게 얼마나 많아요. 엄마는 끝까지 할머니 자식들에게 자신의 존재를 알리지 않겠다고 했죠. 마지막까지 엄마를 지켜 주고 싶다고도 했죠. 가끔은 엄마랑 할머니가 좀 젊을 때 만났더라면 어땠을까, 이제 와 만나다니 무슨 의미가 있을까, 생각했어요. 요즘은 엄마 말이 맞는 것 같아. 할머니는 할머니 가족과 함께 꾸려 온 인생이 있는 거고, 우리 가족 역시 할머니를 모르고도 지금까지 잘 헤쳐 나가며 살았잖아요. 다행히, 할머니도 오래 사시고 엄마도 건강해서, 만나 서로의 존재를 확인할 수 있었고. 그게 복 받은 거 아니면 뭔가, 나는 그렇게 생각했는데, 엄마가 '왜 나만…?' 하며 우는 모습을 보니 마음이 아파요. 그러게나 말입니다. 왜 우리 엄마는 남들 다 있다는 '엄마'도 없고, 형제자매도 없어서 모든 슬픔을 혼자 삭여야 하는 운명이었나요?

왜 나만 엄마가 없는가, 왜 나만 형제자매가 없어서 이러고 있는가, 하는 탄식의 그 소리가 내겐 이상하리만큼 아름답게 들렸다. 요즘은 이런 말들이 흔하기 때문이다. 왜 나만 그때 집을 못 샀지, 왜 나만 집이 없어, 왜 나만 세금을 더 내는 거야, 왜 나만 외제 차가 아니야, 왜 우리 애만 S.K.Y에 못 가지, 왜 나만 월급이 이 모양이야, 왜 난 이렇게 생겼지, 왜 나만 미워해, 왜 나만 손해 보냐 말이야 …. 유튜브 채널을 보는데 그런다. "엄마는 누구에게나 있으니까…" 박완서의 『엄마의 말뚝』을 읽었던 시간이었다. 어, 우리 엄만 엄마가 없는데. 언젠가 한참을 전화로 이야기하다가 엄마는 말했다. "나도 엄마가 있어." 그 당연한 말이 그렇게 평화롭고 따뜻했다. 깊은 우물에 물이 차오르는 것만 같은 기분. 그래, 형제자매 없는 사람 많다. 점점 더 많아진다. 우리 아들도 외아들이다. 더구나, 엄만 외톨이가 아니죠. 자식들이 있잖아요. 손주도 있어요. 마음을 나누는 친구도 있고요. 뭐가 더 필요할까요? 복? 없어도 돼. '복'은 받아야만 가질 수 있고 달아날까 늘 조바심 내며 내가 어쩔 수 없는 거지만, '행복'은 내가 할 수 있는 거거든요. 마음이 가난하고 깨끗한 사람들, 슬퍼하는 사람들, 온유한 사람들, 자비로운 사람들 …, "행복하여라!" 하잖아요. 그러니 '행복'해요, 우리.

건물도 있고 서울대 상대를 나오신 외할아버지가 돌아가셨기 때문이었을까, 이모가 이삼십 년 만에 만나 처음으로 내게 '잘 사냐'고 물은 것이? 갑자기 아빠가 돌아가시기 전 옆 침대에 폐암으로 고생하고 가셨던 이름 모를 할아버지가 떠올랐다. 가래 뽑는 소리만 들어도 얼마나 힘들던지. 자식들이 교대하며 간호하고 있는 듯했다. 하지만 그들이 무심코든 일부러든 내뱉는 말들, 가래를 뽑는 거친 손길이 왠지 불쾌했다. 할아버지가 의식이 좀 돌아올 만하면 서로들 경계하며 변호산지 뭔지 전문가들 대동해 우르르 우르르 왔다 갔다 했더랬다. 들어 보면 건물도 많고 자식 같은 사람도 많고 부유한 것 같았는데 마지막 모습에는 도무지 사랑 아니, 작은 정이라도 찾아 보려야 찾을 수가 없었나. 유산, 유산이 뭐길래.

‘막대한 유산’이라고 번역하기도 한다는 찰스 디킨스의 『위대한 유산』을 찬찬히 읽어 본다. 보편적이고 기본적인 답을 내줄 수 있는 고전이 아닌가 말이다. 도대체 ‘위대한 유산’이 뭔지, 디킨스는 뭐라고 생각했는지 알고 싶었다. 모든 명작이 그렇듯 읽는 내내 영화 장면보다 생생하게 전개되는 이야기에 책을 펼쳐 든 목적이 뭐였는지도 잊을 정도로 재밌다. 책은 덮었는데 역시 모든 명작이 그렇듯이 ‘이것이 위대한 유산’이라는 설명은 없었다. 세상에 쉬운 일은 없다.

뒤죽박죽된 느낌으로 잠자리에 누웠다. 늘 잠이 부족한 남편은 연신 하품하다 이불을 돌돌 말아 머리끝까지 덮고 3분이면 꿈나라로 갈 것이다. 나도 모르게 중얼거렸다.

“위대한 유산을 읽었는데….”

“응, 그래서 위대한 유산이 뭐래?”

“안 잤어?”

“금방 잘 거야.”

“자기 전에 잠깐 말해 봐. 위대한 유산은 뭐라고 생각해?”

“나 자야 되는데…. 가족, 사랑, 생명…, 그런 거?”

“뭐, 성경책에서처럼 그런 거 중에 어느 게 젤 중하다 그럴 줄 알았는데 말이야. 들어 볼래? 마지막 장면이야 … 아직 안 자는 거지?”

“…응.”

“남자가 여자를 처음 만났던 집에서 우연히 다시 만나. 그리고 손을 잡고 그 폐허의 장소에서 걸어 나갔다, 그래. 그 순간 안개가 걷히고 있었대. 달빛도 고요하고.”

“해피엔딩이네. 결국, ‘사랑’?”

"나도 그렇게 끝나나 보다 했거든. 근데 마지막 문장이 참, 사람 아리송하게 하는 거 있지."

"뭐라 그러는데."

"그 모든 풍경 속에서 나는 그녀와의 또 다른 이별의 그림자를 전혀 보지 못했다."*

"그래, 그만, 자자."

쉽지 않다. 한 가지 확실한 건 소설 『위대한 유산』이 우연히 얻은 '막대한 유산'에 대한 이야기인 것만은 아니라는 것이다. '소유'라는 면에서 보면 그가 받은 '막대한 유산'도 그가 사랑한 에스텔라도 모두 실패라는 생각이 들었다. 가지지 못했을 때나, 가졌을 때나, 또 잃었을 때나 모두 시련의 연속이었다.

<인비저블 우먼>(2013)이라는 영화는 디킨스의 '위대한 유산'의 의미를 찰스디킨스와 넬리 터넌이 나눈 비밀스러운 사랑에서 찾아낸다. 결말에 이르며 감정이 고조된 여주인공은 교회 묘지를 찾아 고해하듯 신부에게 자신과 디킨스의 관계를 털어놓으며 이렇게 말한다.

"그는 자신이 먼저 절 떠날 거라는 걸 알고 있었어요.** 그가 먼저 죽게

---

* 『위대한 유산』, 찰스 디킨스, 이인규 역, 민음사, 2009. 'I saw shadow of no parting from her.' <인비지블 우먼>에서는 '그녀와 헤어지지 않음으로 그림자를 봤습니다.' 라고 번역하기도.

** 찰스 디킨스는 마흔다섯의 나이에 극장에서 무명배우였던 넬리 터넌(Nelly Turnen)을 만난다. 이때 그녀의 나이 18세. 이만큼 차이 나지는 않지만, 엄마와 아빠가 결혼할 때 나이, 아빠 31세, 엄마 20세.

될 거라는 걸요. … 아무리 고통스러워도 우린 혼자라는 걸요. 우리가 누구와 함께 있어도 우린 혼자예요. 그 사람이 맞았어요."

『위대한 유산』이 시작하는 장면은 주인공 핍의 아버지와 어머니 그리고 다섯 명의 형제가 모두 묻혀 있는 묘지였다.

내가 쐐기풀로 뒤덮인 쓸쓸한 이 장소가 교회 묘지라는 것을 분명하게 인식하게 된 것은 바로 그때였다. … 그리고 이 모든 게 무서워져서 조그맣게 몸을 웅크린 채 벌벌 떨며 막 울음을 터뜨리려는 존재는 바로 나 자신 핍이라는 것을 내가 분명히 인식하게 된 것도 바로 그때였다.

주인공 핍에겐 혈육도, 막대한 재산도, 신사의 삶도, 여인과의 만남도 모두 행복한 삶에서 비켜 있다. 확실한 건 시련과 같은 이 모든 일들을 거쳐 그는 '웅크린 채 벌벌 떨며 막 울음을 터뜨리려는 존재'에서, 에스텔라의 손을 잡고 폐허의 장소에서 걸어 나가는 존재가 된다는 사실이다. 그에게 평화와 행복을 느끼게 해주는 이들은 조와 비디로, 이들은 핍이 막대한 유산을 받기 전부터 이미 존재해 있었다.

엄마의 기록은 아빠가 돌아가신 후에도 2년 정도의 시간 동안 이어진다. 혼자라는 사실이 '너무 부끄럽다'(왜 부끄러워야 할까)고도 썼다. '밤잠을 이룰 수 없는 외롭고 쓸쓸한 세상'이라고도 한다. 어느 말도 필요 없이 그저 '보고 싶다'로 채운 쪽도 있었다. 눈물이 끝날 것 같지 않게 흐르던 날도 있었다. 그러다 '문득 창밖에 보이는 으스스한 산을 자세히 보니 갖가지 나무들에 일대 소동이 났다'고 한다. 그러다 저런 식물들도 다시 찾아오는데 사람은 한번 가면 올 꿈도 못 꾼다고 운다. 그리고 어느 날, 너무 울어서 밥이라도 먹어야겠다고, 그래도 애들을 위해서 건강해야겠다고 헬스도 하고 수영도 하고 보험도 들고 열심히 영성학교에 나간다고 쓴다. '비가 꽤 많이 오고 있다'는 짧은 문장으로 무심히 기록은 끝이 난다. 다시 시간은 흐르고 다시 여름이 온 거다.

영화 <인비저블 우먼>은 이렇게 끝난다. 찰스 디킨스가 넬리 터넌을 처음 만나던 순간에 연극배우인 그녀가 읊던 대사의 반복이기도 하다.

비통한 이야기입니다. 슬픈 이야기입니다.
거부당한 사랑과 내일을 살기 위해 회복된 사랑
침묵이 무거운 마음을 숨길 수 있는 곳이라고 생각하지 않도록
기억하세요. 사랑하고 받는 게 인생이며
사랑 없이 우린 아무것도 아니라는 걸.

'나도 엄마가 있어.'

그렇게 엄마, 내게도 엄마가 있어요. '침묵이 무거운 마음을 숨길 수 있는 곳이라고 생각하지 않도록' 이 글을 쓰고 남깁니다. 나는 '엄마가 있기에' 사랑합니다. 엄마가 있어서 나도 살아갈 힘을 얻어요. 엄마 목소리로 이어질 이야기들이 궁금합니다. 또 그렇게 우리는, 함께할 그림자 속에서도, 행복할 수 있을 겁니다. 담가 준 하얀 물김치의 맛처럼, '행복'해요, 우리.

나만의 자동기술.

sol

흘러가는 세상의 한순간일지라도 우리가 그 순간 자체가 되지 않는다면 우리는 그것을 보존할 수 없을 것이다.
(폴 세잔)

나만의 자동기술

그녀는 내게 이름을 말해 주었는데,

자기가 직접 고른 것이라고 했다.

"나자예요. 러시아 말로 '희망'이 그렇게 시작하거든요.

그러니까 그냥 시작이라서요." *

겨울이었다. 버스를 타고 자리에 앉아 창밖을 내다보고 있었다. 길가에 늘어선 희미한 네온사인 앞엔 민소매 드레스를 입은 여자가 잔뜩 움츠리고 서 있었다. 드레스에 붙은 스팽글이 바람에 옴짝거렸다. 차가 막혀 길가 풍경은 슬로비디오로 흘렀다. 민소매 드레스를 입은 여자가 낯익다. 소풍 가 술 먹고 추태 부리다가 자퇴당한 우리 반 날라리, 선생님께 고자질했다고 내 뒤를 쫓아다니며 죽여 버린다 하던 그 아이. 그런데, 학교에서 쫓겨난 그 아이는 저 음침한 곳에서 너무 추워 보였다.

그때 나는 옷차림이 매우 초라한 한 젊은 여자가 내 쪽으로 한 열 걸음쯤 떨어진 지점에서 오고 있는 것을 보았고, 그녀 또한 나를 보고 있거나 이미 본 듯했다.**

---

* '나자에요, 왜냐하면 나자는 러시아어로 '희망'이라는 말의 어원이기 때문이고, 또 단지 어원일 뿐이기 때문이죠.' '어원'이라고 해석한 불어 'commencement'을 '시작'으로 바꿔 보았다. (『나자』, 앙드레 브르통, 오생근 역, 민음사, 2008, 68쪽.)

** 『나자』, 65쪽.

초현실주의 소설 『나자*Nadja*』에서, 작가는 1926년 10월 4일 파리 라파예트 거리를 걷다가 초라한 한 젊은 여자를 만난다. 그 여자 이름이 나자이다. 이 작품을 만난 건 내 나이 서른 초반 무렵이었다. 브르통이 『나자』를 썼던 나이(30세) 비슷할 거다. 내 머릿속에선 작가가 보고 있는 젊은 여자 위로 길가에 춥게 서서 호객하던 중학교 때 그 아이가 겹쳐 떠올랐다. 왠지는 아무리 생각해도 모르겠다. 거리를 떠도는 여자가 그런 모습이지 않을까 싶지 않았을까? 프랑스 사람들도 암호해독이 필요하다고 하는 글을 외국어로 간신히 읽는 학생 입장으로 유일하게 알아먹은 장면이었기 때문일지도 모른다. 수업 때 읽은 작품이었는데, 여러 사람이 함께 읽으면서도 무슨 말을 하는지 도통 알 수 없었다. 읽은 사람들이 한결같이 하는 말은 '뭔 말인지 모르겠지만 왠지 끌린다'는 거였다. 작가 브르통을 초현실주의의 '교황'이라고 하는 데는 이유가 있다. 초현실주의 운동에 있어서 브르통이 갖는 교조적 성격 때문이기도 하겠지만, 그가 쓴 글이, 성경처럼, 어려운 말은 없어도 읽는 사람 사정에 따라, 같은 사람이라도 시간에 따라, 의식의 변화에 따라 해석이 달라지기 때문이다.

늘 그렇게 우연처럼 만나고, 알 수 없어 끝내지 못하고 또, 우연처럼 아주 작은 하나를 알게 되고, 그래서 또 끌려 읽게 되는 책이 있다. 나에겐 이 『나자』가 그렇다. 1928년에 출간되었으니 조금 더 있으면 100년 전 작품이 되는데도 내겐 지난 이십 년 넘는 시간 동안, 잊히지 않는 질문처럼, 지금 여기서 함께하는 느낌이다. 어쩌면 답은 언제나 미래에만 있을 듯이 말이다. 이 작품이 우리말로 번역돼 나온 건 2008년이다. 번역된 글을 읽어도 도무지 이해되지 않았지만, 모호함에 때론 오역이 있더라도 아니, 애초에 '모든 게 가능하다'며 두 팔 두 발 벌리고 있을 것만 같은 작품*이라서 매력은 여전했다. 묘사 대신 삽입된 사진이 이런저런 말을 걸고 상상력을 부추긴다. 도서관에서 책을 고치면서 만나는 사람들 흔적도 그렇다….

아니, 나는 지금 『나자』라는 작품과 나의 인연을 되짚어 보는 중이다. "불어불문학은 어떻게 가게 된 거죠?" 사서자격증을 따고 무작정 원서를 제출한 도서관 관장님은 내게 물었다. 좀 당황했다. 릴이라는 도시 변두리에서 아무것도 없이 파리로 온, 나자 같은 나이 젊은 지원자 입장이었다면, 출제자 의도가 뭔지, 배운 대로, 한 치 의심 없이, 간단하고 명확하게 이야기해야 했을 것이다. 사실 어렵지도 않았을 것이다. 시간을 조금만 돌리면 됐고 기억의 모양도 단순했을 테니. 쉰 살이 되어 답을 하려고 보니 거슬러 가야 할 시간이 꽤 되고 그 기간 쌓인 이야기가 얼기설기 엮여 어디서부터 어떻게 해야 하나, 말이 쉽게 떨어지지 않았다. "고등학교 때부터 불어를 좋아했고 불어불문학과 진학을 결심한 건 이문열의 『추락하는 것은 날개가 있다』를 읽고 나서였습니다." 뜬금없고 지엽적인 답이었다. 관장님은 이해가 안 간다는 눈치였다. 정말 그 책을 읽고 불문과를 간 거냐고 재차 물었다. 면접 시간은 짧고 이유를 설명하자니…, 젊음의 불확실하지만 찬란한 미래도 나는 내세울 수 없고, 그들이 중년인 내게 기대하는 사회적 결과물도 보여 줄 게 없다는 생각에 창피하고 슬펐다.

진짜로 그랬다. 브르통은 스물여덟에 『초현실주의 선언』을 발표했

---

* '…아주 정열적으로 그리고 아주 효과적으로 내 옆에서 내가 이 책이 "문처럼 열고 닫히는" 것이 되기를 원했고, 그 문을 통해 들어오는 사람을 볼 수 있는 것은 어쩌면 당신밖에 없으리라는 것을…'(『나자』, 165쪽.)

고, 마누아르 당고(Manoir d'Ango)라는 저택에서 두 주 만에(열흘 만이라고도 한다) 썼다는 이 『나자』에서만도 수없이 많은 문인과 화가, 철학자들에 대해 얘기할 수 있었다. 쉰 살이 넘어까지 불어를 놓지 않고 그 문화와 문학에 집착한 동기가, 작가 자신도 써 놓고 맘에 들지 않는다고 했던 『추락하는 것은 날개가 있다』의 여주인공 서윤주라니. 늘 이런 식이다. 멋진 구석이라곤 도무지 없잖아. 별거 없어 민망하지만 참말로, 책에서 주인공 임형빈이 서윤주를, 실은 영문과인데 불어책을 들고 다니는 걸 보고 불문과 학생으로 착각해 찾아다니는 걸 읽고서, 불문학과를 가봐야겠다고 생각했다. 1988년인가 책 출간 당시 나는 고등학교 3학년, 한창 정신없을 시기, 체육 선생님이신 아빠와 함께 TV로 열심히 올림픽 경기를 봤다. 우리나라 밖에는 저렇게나 많은 나라들이 있구나, 신기했다. 입시를 준비하고 있던 때문인지, 심한 근시였기 때문인지, 내가 사는 곳이 나는 좀 답답해 보였다. 서윤주가 그렇게 가보려는 유럽이 궁금했다. 현실에서 그런 사람을 보진 못했기 때문이었을 거다. 소설에서 임형빈은 기어코 오스트리아까지 서윤주를 쫓아가서 총으로 쏴 죽인다. 팜므파탈 '카르멘' 이야기도 읽었지만, 나는 이해가 가지 않았다. 내 읽기엔 임형빈도 어리숙한 척해도 하는 짓이 쓰레기이긴 마찬가지인데, 왜 총자루는 그의 손에 있고, 서윤주가 아무리 제 맘대로라 해도 총에 맞아 죽을 만큼인가 하고 말이다. 중학교 2학년 때 국어 선생님 댁에서 선물로 받은 조세희의 『난쟁이가 쏘아 올린 작은 공』에서처럼 칼산에 살던 친구들이 어디론가 사라지고, 김수환 추기경님이 오신 성당 견진성사에 전투 경찰들이 들이닥치던 시절이었다.

1988년 프랑스 갈리마르 출판사에서 『나자』가 담긴 브르통 작품전집을 출간한다. 1989년 나는 불어불문학과에 입학했다. 프랑스혁명 200

주년을 기념하던 해였다. 브르통은 1928년 출간한 『나자』를 '글을 조금이라도 더 낫게 만들기를 바라는 작가의 자기만족'*을 위해 '좀 더 적절한 표현을 찾고 자연스러운 흐름을 조금이라도 더 살려 보고 싶다는 … 바람'**으로 1963년 재출간한다. 흥미로운 건, '머릿속에 떠오르는 생각을 그대로 기술하거나 떠오른 이미지를 그대로 그려 낸다'는 '자동기술'을 실험한 작가의 『나자』인데, 그 육필 원고엔 고친 흔적이 엄청나게 많다는 사실이다. 브르통은 1928년 작품을 출간한 직후에도 자기가 가진 원고에 내용과 사진을 더하고 수정했다고 한다. 이 원고는 오랫동안 사라진 것으로 여겨지다가, 브르통이 소장하던 것을 경매하는 과정에서 발견되어, 2015년 프랑스 국가 보물로 분류, 2017년 프랑스국립도서관에 소장되었다.*** 브르통은 어떤 '흐름'을 살려 보고 싶었다고 했다. 이를 위해 그는 '문체에 신경 쓰지 않고 꾸밈을 최소화'해 '포즈를 취하지 않고 자연스럽게 찍은 사진과 같은 기록'을 남기려고 노력했다****고 한다. 그런 노력이 담긴 『나자』의 첫 문장은 '나는 누구인가?'이다. 나는 이 질문을 불혹을 넘기고 지천명이라는 나이를 지난 지금까지도

---

* 『나자』, 5쪽.

** 『나자』, 6쪽.

*** 『초현실주의의 발명: 자장에서 나자까지』, 프랑스국립도서관, 2020년 11월 17일~2021년 2월 7일, 78쪽.

**** '독자들은 이 분야에서 내가 경험하게 된 일에 대해 전체적인 설명을 해 주리라 기대하지는 말았으면 한다. 여기서 나는, 나만의 어떤 방식과도 일치하지 않으면서도 때때로 나에게 일어난 사건과, 예상하지 못한 경로로 발생하여 내가 특별한 매력을 느끼거나 저항감을 느끼게 되어 그것의 진면목을 알 수 있게 만든 것을 쉽게 떠올려 보는 일에 만족할 것이다. 미리 정해 놓은 순서 없이, 떠오르는 것을 떠오르게 내버려 두는 시간의 우연에 따라 이야기해 보려고 한다.'(『나자』, 22쪽.)

거듭 되풀이하고 있다. 도대체 난 언제쯤 풀쩍, 성장이라는 걸 할까?

시댁에서 아들을 키우며 공부하고 또 일하며 나의 젊음은 그렇게 정신없이 지났다. 몸과 마음이 지치는 어느 날이면 집으로 들어가는 문 비밀번호가 좀처럼 생각나지 않을 때도 있었다. 『나자』에서 작가가 들려주는 '너무 어처구니없는 내용이면서도, 매우 우울하고 한편으로는 참으로 감동적이기도 한 이야기'에 나오는 들루이* 씨가 바로 나인가 싶은 시절이었다. 처음엔 방에서 떨어져 피 흘리며 다시 돌아오는 들루이 씨 처지에 공감했다. 굴러떨어진 돌을 다시 굴려 올리는 시지프 신화 같다고 생각했다. 지금은 다른 면이 보인다. 인지능력 저하를 걱정하는 엄마가 "난 외우는 걸 잘 못했어." 하실 때면 문득 이 이야기가 떠오르는 거다. "기억력 좀 없어도 괜찮아, 엄마. 꼭 필요한 것만 안 잊으면 되지, 복잡하게 뭘 그렇게 기억하려고 해요. 그리고 엄마 정도면 기억력 좋은 건데…" 이렇게 말하면서 나는 속으로 '엄마, 엄마 딸 이름만은 무엇보다, 엄마 이름만은 잊지 않겠죠?' 한다. 언젠가 방송에서 본 독일 요양원 앞에 있다는 가짜 버스정류장도 생각이 난다. 치매 환자들은 가족과

---

* '어느 날 한 신사가 호텔에 들어가서 자기 신분을 밝히고 방 하나를 빌리자고 했다. 그가 빌린 방 번호는 35호다. 잠시 후, 그 신사는 사무실로 내려가 열쇠를 맡기면서 말한다. "실례합니다, 내가 워낙 기억력이 없거든요. 미안하지만 내가 나갔다 들어올 때마다 '들루이'라는 내 이름을 말할 테니, 그때마다 내 방 번호를 알려 주시면 고맙겠습니다." "알겠습니다, 손님." 잠시 후 그는 다시 돌아와서는 사무실 문을 반쯤 열고 말한다. "들루이." "35호입니다." "감사합니다." 잠시 후 온통 진흙투성이에다 피까지 흘리면서, 거의 인간의 모습이라 할 수 없을 정도로 엉망이 된 한 남자가 매우 흥분된 모습으로 사무실에 들어와 말한다. "들루이." "뭐라고요? 들루이 씨라고요? 그런 말 마십시오. 들루이 씨는 방금 막 방으로 올라가셨어요." "미안하지만, 그 사람이 바로 나요. … 방금 창문에서 떨어졌소. 내 방 번호가 어떻게 되는지 알려 주시겠습니까?"(『나자』, 160쪽.)

집이 보고 싶어 무작정 밖으로 나오는데, 이 가짜 버스정류장이 생기고 그곳에서 "커피 한잔하실래요?" 하고 물어주는 사람들 덕에 이들이 길을 잃는 일이 훨씬 줄었다고 했다. 이처럼 기억 잃은 들루이 씨에게 그가 묵고 있는 방 번호를 알려 주는 사람이 존재하지 않는다면 들루이 씨는 그야말로 '방황하는 영혼'*, 유령 같을 것이다. 아, 참, 그렇다. 나는 지금 브르통과 그의 작품 『나자』 그리고 나의 인연을 되돌아보고 있는 거다. 잠시 넋을 놓았다.

앙드레 브르통은 나자를 다시 다듬어 출간하고 3년 뒤인 1966년 9월 28일 생을 마감한다. 참, 이렇게도 연결이 되는가 싶다. 아빠도 브르통처럼 70세에 돌아가셨다. 2009년 7월, 장마가 끝나가던 여름이었다. 나는 브르통이니 나자니 문학이니 오랫동안 잊고 살았다. 그러다, 같이 성경 공부하던 프랑스인 엘리자베스가 책을 빌려줬다. 학교에서 초현실주의를 공부했다는 걸 기억한 것이다. 번역도 없는 책을, 거기다 어렵기만 하던 『나자』에 관한 책을 읽으려니 머리가 아팠다. 2009년 출간된 신간이라 아는 척할 수가 없어서 하는 수 없이 읽었다. 헤스터 알바흐(Hester Albach)란 사람이 쓴 『초현실주의의 주인공, 레오나』였다. 네덜란드어로 쓴 것을 불어로 번역한 책이다. 엘리자베스와 나는 프랑스 드골 공항에서 우연히 마주친 인연이 있었을 뿐이다. 열심히 읽을 이유는 없었지만 그래도 시작했다. 서문을 읽자마자 번개가 치듯 『나자』가 소환됐다. "그렇다. 나자는 정말로 존재했다. 이름은 레오나 카미유 기스

* '나는 다른 모든 질문을 함축하는 한 가지 질문을, 아마도 나만이 할 수 있는 질문을, 그러나 적어도 한 번은 그녀가 내 질문의 수준에 알맞은 대답을 찾을 수 있는, 그런 질문을 던지고 싶었다. "당신의 정체는 무엇인가요?" 그러자 그녀는, 머뭇거리지 않고 말했다. "나는 방황하는 영혼이에요."'(『나자』, 72~73쪽.)

렌(Léona Camille Ghislaine). 릴이라는 도시 변두리 출신이었다." 1941년까지 프랑스 북부에 있는 정신병원에 있었고 그곳에서 서른여덟 나이로 죽었다고 한다. 프랑스 역사에는 2차 대전 독일 점령기에 정신병원에 갇혀 굶주려 죽은 이들이 많았나 보다. 나자도 그들 가운데 한 명이었을 거라고 한다. 글 형식이 매우 독특했다. 나자의 모델이 되는 인물을 찾아 그의 전기를 완성하고 여러 자료를 증거로 싣고 있으면서 소설적인 요소를 더했다. 작가는 파리로 떠나와 새 아파트에서 우연히 라디에이터 뒤에 있던 1928년 판 『나자』를 발견하는 것으로 이야기를 시작한다. '모두 죽었다. 4년이 채 안 되는 동안 내 인생 가장 소중한 세 사람이 차례로 떠나갔다.' 그에게 앙드레 브르통의 『나자』는 젊은 여성들을 위한 책이면서 파리에 대한 책이고 아울러 죽음에 대한 책이기도 했다고 한다. 책의 이 말 때문에 나는 오랜만에 다시 『나자』를 읽었다.

물속에 있던 것처럼 기억되는 그 시절, 역시 대부분은 내가 이해할 수 있는 영역의 것이 아니었고 그래도 남은 말이 있다면 이런 것이었다. '끝없이 계속될 것 같은 고통이 끝난 이미지', 그런 게 '유령'이라고 했다. 나자는 '욕조에 몸을 담그고 있을 때, … 물의 표면을 응시하고 있는데도 … 몸은 멀어져 가는 것처럼 느낄 때의 아침'*같이 살고 있다. '내세라는 것, 모든 미래의 세계가 우리의 삶 속에 있는 것이 사실인가? 나에게는 당신의 말이 들리지 않는다. 누구인가? 나 혼자뿐인가? 이게 나 자신인가?'** 하는 두 번째 장 마지막 말들이 슬프게 울렸다. '더 이상

* 『나자』, 102쪽.

** 『나자』, 149쪽.

눈물을 흘릴 수 없다고 생각될 만큼 오랫동안 울었다.'* '나자, … 이제는 존재하지 않는 그 이름은 …'** 같은 말들만 눈에 들어왔다.

브르통은 '지금도 내 마음속에 울림이 크게 남아 있는 문장들을 이제는 더 이상 기억하고 싶지 않다'***면서도 나자가 남겨 놓은 문장도 그림도 꼭꼭 정성스레 챙겼다. 나자는 정상이 아니었다. 브르통은 그런 나자와 사이가 좋지 않았다고 말하면서 몇 번이나 도망치려고도 했었다고 말한다. 사랑한 게 아니었다고까지 한다(브르통은 여자관계가 많았다). 이 불쌍한 여자 나자를 사랑하지 않았고 책임지지도 않은 듯한 브르통이 이해는 가지 않으면서도 엉뚱하게도 1928년 브르통의 글이 1988년 이문열의 글보다 그래도 덜 가부장적이지 않은가 생각한다. '아름다움은 많은 사람들이 별로 중요하게 보지 않는 그러한 급격하고 불규칙한 움직임들로 만들어지는 것'이라는 말이 이상하게 위안이 되었다.

나자가 여배우 블랑슈 데르발이 아니고 완전 허구의 인물도 역시 아니라 온전히 실재했다는 사실을 알게 되면서, '나는 한 번도 그런 눈을 본 적이 없었다'**** '저 눈 속에 스쳐 가는 범상치 않은 빛은 무엇일까? 어떻게 저 눈 속에는 어두운 고통의 빛과 밝은 자부심의 빛이 동시에 비칠 수 있을까?'***** 하는 작가의 말들이 그제야 실감이 났다. 1992년

* 『나자』, 117쪽.

** 『나자』, 154쪽.

*** 『나자』, 119쪽.

**** 『나자』, 65쪽.

***** 『나자』, 66쪽.

우리나라에 번역 출간된 휘트니 차드윅의 『쉬르섹슈얼리티』를 보면 '초현실주의가 만들어 낸 이상화된 여성의 모습'이라는 표현이 있다. 나자가 허구의 인물일 뿐이라면 그렇다. 하지만 그 이상적인 여인은 실재한다. 따라서 브르통은 초현실주의를 길 위에서, 진짜로 만난 여인에게서 '발견'한 셈*이다. 그렇다면 초현실주의적 세계는, 현실에 없는 것을 만드는 것이 아니라 있는 것을, 라파예트 거리에서 나자와 만나듯이, 우연히 발견하는 것이다.

브르통이 걸었을지 모르는 길을 걸으면 나도 무언가를 발견할 수 있을까? 2014년 11월, 브르통이 마지막 15년 동안 여름을 지냈다는 생시르라포피를 찾았다. 브르통 집도 그 옆 박물관도 문이 닫혀 있었다. 먼 곳까지 찾은 것을 기특히 여긴 존재가 있었나 보다. 박물관을 청소하고 정리하는 아저씨 두 분을 만났다. 문 열려 있는 동안 둘러봐도 좋다고 했다. 브르통의 산책길이라며 친절하게 안내도 해준다. 도회적인 파리 산책만 상상하다 브르통이 이렇게 웅장한 자연을 곁에 두고 글을 쓰고 친

---

* 초현실주의에서의 여성과 여신의 동일화에 대하여 어떻게 생각하느냐는 질문을 받자, 캐링턴은 단 한 마디로 이렇게 대답하고 있다. "실없는 소리예요." 또한 콜구혼은 다음과 같이 말하고 있다. "자유롭고 숭배받는 여성이라는 브르통의 비전은 여성에게 반드시 실제로 도움이 된다고는 할 수 없어요, 특히 화가에게 있어서는." 이러한 발언이 나온 것은 『초현실주의 제1선언』이 나온 뒤, 50년 가까이 지난 후의 일이다. 그래도 왜 그만큼 여성 예술가들이 자신들은 정말 초현실주의자가 아니었다고 주장해왔는가에 대한 이유를 이해시키는 데 도움이 되고 있다. 카로는 자주 다음과 같이 말하였다. "(브르통이나 그 동료들은) 나를 초현실주의자로 생각하고 있었지만, 그것은 잘못된 생각이었습니다. 나는 결코 꿈을 묘사하지는 않았습니다. 나는 나의 현실을 그린 것입니다."(『쉬르섹슈얼리티: 초현실주의와 여성 예술가들』, 휘트니 차드윅, 동문선, 1992. — 부산의 한 헌책방에서 발견)

구들과 즐겼다니…. 내려와 카오르에서 열리는 브르통에 관한 전시를 둘러보고 호텔로 돌아가려는데 비가 내렸다. 중세 시대부터 있던 성당 앞이었다. 코발트색 덧창을 단 중고서점이 있어 일단 들어갔다. 비가 오는 바람에 서점 안에 있는 시간이 길어졌다. 불어를 쓴 지가 언제인지 아득하기만 한데, 서점 주인의 폭풍 수다가 쏟아졌다. 내가 1968년 잡지 「유럽」의 초현실주의 특집호를 집어 들었기 때문이다. 난감했다. 나는 여한 없이 브르통과 헤어지려고 온 건데. 전시회 이야기부터 생시르라포피의 브르통 집 얘기까지 이어졌다. 파리 퐁텐가 집에 브르통이 소장하고 있던 물건들이 경매되는 것에 대해 어떻게 생각하느냐, 자기는 그게 초현실주의 정신에 딱 맞는다고 생각한다, 초현실주의는 박물관으로 들어가면 죽는 거다…, 끝없는 프랑스 사람 열변에 영혼 없이 끄덕이다 문득, 이런 생각이 들었다. 맞아, 브르통의 시어가 그대로 브르통 서재에 사물로 놓여 있었지, 누군지, 어딘지 모르는 일상에 그렇게 있다가 우연히 발견되면 그 자체가 시로 다가오는 거야. 멋진데. 서점 주인아줌마는 브르통 전시를 주최한 카오르 미술관 관장님께 소개해 주겠다고 명함이랑 카드랑을 챙겨 주면서 얘기를 마쳤다. 브르통이 나자와 헤어질 결심을 하듯 내게 브르통도 그럴 참이었기에 나는 카오르 관장님을 만나러 가지 않았다. 일상 어딘가 사물로 있게 한다, 우연한 만남을 기다린다는 이야기만 오래 가슴에 남았다.

당신은 나에 대한 소설을 쓰겠지요. 난 그걸 확신해요. … 모든 것은 희미해지기 마련이고 모든 것은 사라져 간다는 점이 … 우리에게는 무언가가 남아 있어야 하는데 ….*

나자는 예언하듯 브르통에게 이렇게 말했다. 내가 신부님들과 일을 그만둘 때, 마음에 하고 싶은 것이 있었다. 엄마 얘기를 쓰는 것이었다. 브르통이 나자에 대해서 썼듯이 나도 그렇게 쓰면 되지 않을까 하는 생각이 들었다. 곧 헛웃음이 나왔다. 아니 몇 년은 그렇게 웃었던 것 같다. 그러다가 어느 날, 브르통 글과 초현실주의 그림을 읽거나 보는 건 어렵지만 '자유'를 주고 '의식을 해방'하고 '떠오르는 대로' '반추하지 않고' 쓰거나 그리는 건, 쓰거나 그리는 입장에선 어쩌면 가능한 게 아닌가 싶었다. 초현실주의 하면 따라오는 약물, 남성의 성적 판타지, 신성모독 등등에 관한 건 어차피 내 알 바가 아니었다. 시간이 흘러 어느 날 오디오북으로 박태원의 『소설가 구보씨의 일일』을 읽게 되었다. 작가의 평범한 하루를 의식의 흐름에 따라 쓴 소설이었다. 그런 이야기가 쓰고 싶어졌다. 그런데 나는 소설을 쓸 능력이 없었다. 더욱이 엄마 이야기가 소설이 되게 하고 싶지 않았다. 나의 엄마가 허구일 순 없었기 때문이다. 그저 얘기가 하고 싶은데, 한 마디도 말이 되어 나오지 않았다. 도서관에서 책을 빌리다가 『구보가 아즉 박태원일 때: 박태원 수필집』이 있는 걸 보았다. 가족 얘기, 이웃 얘기, 시절 얘기, 책 얘기 콜콜하게 담겨 있는데 그 중에서도 「화단의 가을」이란 글이 눈에 담겼다. 좁고 모양 없는 뒤뜰 화단에 대고 불평을 했더니 이를 들은 아내가 꽃을 사다 심어 보라 하기에 꽃장수에게 꽃을 사는데 뭐 아는 게 없어 흥정하기 곤란했던 얘기, 어수룩하게 화단을 가꿔 보는 얘기가 이어진다. 거창한 말 없이 일상과 자연

---

* 『나자』, 101~102쪽.

스러운 생각을 편안하게 털어 내듯 하네! 그냥 이렇게라면 무슨 말이든 할 수 있지 않을까? 그제야 비로소 나는 쓰기 시작했다. 썼다기보다 기록하고 싶었다. 나만의 '자동기술'. 오래 묵은 마음속 이야기들이 조각조각 발견되고 그것이 일상과 만나서 글로 남기 시작했다.

일이 너무 하고 싶어요

'Travailler[트라바이에]', 프랑스어로 '일하다' '공부하다'는 뜻이다. 영어나 우리말의 경우는 일하다(work)와 공부하다(study)를 구분해 사용하는 편이다. 'Travailler'는, '일하다'와 '공부하다'는 뜻으로 두루 쓰인다. 나는 '공부'를 좋아한다. 이렇게 말하면 사람들은 곧잘 오해한다. 잘난 척한다고 생각한다. 누군가는 다른 표현을 쓰라고도 한다. 달리 어떻게 표현해야 하는지. 결혼해서도 여전히 학생이던 때 사람들은 물었다. 집에만 있으면 무료하니 공부하는 게 낫지요, 바깥분이 돈을 많이 버는가 봐요. 그나마 돈을 받는 일을 하던 때도 있었다. 그만둔 뒤 책을 읽고 공부를 하니 또, 집에서 놀기 힘들죠, 아직도 공부를 하나요 한다. 나이 먹어도 일을 하는 게 좋을 텐데, 말하기도 한다. 나는 학교에서도 트라바이에 했고, 집에서도 트라바이에 했고, 직장에서도 트라바이에 했는데, 사람들에게 내가 학교와 집에서 한 것은 일이 아니다. 학교와 집에서 하는 일로 나의 하루는 바쁘기만 한데, 김사이 시인의 시집 제목처럼 '나는 아무것도 안 하고 있다고 한다.' 나도 그렇게 믿었다. 그래서 뭐 하고 지내느냐고 물으면, 잘 놀아요, 백수가 과로사한다잖아요 했다.

어린 시절 할머니는 말씀하셨다, 청소도 공부, 요리도 공부, 노는 것도 공부, 모든 게 공부라고. 죽을 때까지 공부하고 배워야 한다더니…, 팔순을 넘긴 우리 시어머니도 TV에 나오는 요리를 보며 말씀하신다. '학문이나 기술을 배우고 익히는 것'이 공부고 '무엇을 이루거나 적절한 대가를 받기 위하여 어떤 장소에서 일정한 시간 동안 몸을 움직이거나 머리를 쓰는 활동'이 일의 정의라니, 어쨌든 공부와 일은 다르다. 그게 보통 상식이다. 그래서 그랬나? 언젠가 문희준의 뮤직쇼(라디오 프로그램)에 나온 그룹 포레스텔라의 조민규도, 이 중 유일하게 투잡을 뛰는 사람이 아니냐는 문의 질문에, 아뇨, 공부를 하고 있는데요, 하고 답을 한다. 이때 문의 반응이 재밌다. "공부도 잡(job)이죠. 일처럼 힘들잖아요." 공부와 일이 '힘들다'는 점에서 같다고 생각한 그. 반백 나이 먹도록 이렇게 말하는 사람을, 자칭 타칭 반백수로 살아온 나는, 처음 보았다. 그런데 그의 말이 내게 왜 그렇게 위로가 되던지.

나는 노동이란 돈을 버는 것이라고, 그런 일이 생산적이라고 생각했었다. 그러고 보니 나의 매일매일 수고는 그 어느 것도 생산적이지 않았다. 나는 돈을 버는 일이 아니라 쓰는 일을 할 뿐이므로 일하는 사람, 노동자가 아니었다. 이런 생각을 바꿔 준 글이 있다. 시몬 베유의 「노동의 신비」* 였다. 70년도 전에 나온 옛글인데도 현재의 나에게 많은 말을 해 준다. 그의 말에 따르면, 인간은 노동 속에서 스스로 삶을 재창조한다. 우리가 일하는 이유는 '필요' 때문이다. 이 '필요'는 존재하기 위한 것이다. '우리는 오직 살기 위해 애쓰고 있다'(「노예적이지 않은 노동의 첫째 조건」**). 노동은 죽음과 같다. '세상의 중력을 견뎌야 하는' 일이기 때문이다. 노동은 비참하고 피로하다. 그런데 이것이 노동이 지닌 진정성이다. 내가 한 travails[트라바이](일들), 무겁고 힘들었다. 아무것도 아닌

* 『중력과 은총』, 시몬 베유, 이희영 옮김, 동서문화사, 2017, 190~193쪽.

** 읽어 보려고 혼자 번역해 보았다. (https://radis.tistory.com/80)

게 아니었다. 이에 대해 시몬 베유는 단호하게 말한다, 노동엔 피로와 함께 기쁨이, 확실하게 느낄 수 있는 기쁨, 먹는 것, 쉬는 것, 일요일의 즐거움이 있으나 돈은 그렇지 못하다고.

이삼십 대에 나는 해야만 하는 일을 했던 것 같다. 학비가 필요해서 아르바이트를 했고 조교를 했다. 공부하기 위해 장학금이 필요했다. 결혼을 하려고 돈을 벌었다. 도련님들은 결혼한다고 하고 아이 유치원도 보내야 해서 일했다. 남편과 나, 둘이 모두 맏이이다 보니 챙길 일이 많아 돈이 필요했고 나의 아이를 짐짝처럼 맡기고 돈을 벌어야 하는 삶은 도저히 선택할 수 없어 시댁에서 독립해 나오지 못했다. 필요를 해결하기 위해 일종의 서바이벌 경기 벌이듯 일했다. 시어머님이 워낙 부지런하신 시골 분이라 덩달아 해야 할 일도 많았다. 어머니는 시골에 가서 메주도 매달고, 마늘도 캐고 콩도 털고 친척분들 잔치에 함께 해주길 바랐다. 아이가 자라는 동안은 아이를 재우고 과제를 해야 해서 밤에 잠을 제대로 자지 못했다. 직장에서도 마찬가지였다. 불어를 하는 사람이 필요하다고 해서 갔다. 일 년에 세 번 회지 만드는 일을 한다고 해서 재밌을 거라 생각했다. 교수님은, 책상도 있고 조용한 곳이라, 공부도 할 수 있을 거라고 했다. 그곳에도 해야 할 일이 많았다. 모두 신앙심(?)이 필요한 거였다. 청소, 손님 접대, 식사 준비, 다양한 심부름. 사무장이라는 이름으로 회계도 보고 문상이나 문병을 대신하고 선물 배달을 가기도 했다. 정작 하라고 되어 있는 일은 집에 싸 들고 와 밤을 새우기 일쑤였다. 일복은 타고났다는 걸 확인했다. 그래도 보람이 있었기에 생각보다 오래 있었다. 하지만 나는 아이가 어른의 문턱을 넘는 오랜 시간 무능력한 나 자신이 한심했다. 그러다 비로소 알았다. 내가 피곤하게 해야 했던 그

많은 일들을 '그림자 노동'*이라고 한다는 걸. 여자, 엄마, 아내, 며느리 그리고 신앙의 이름으로 떠맡았던 일들이었다는 걸. 나는 결국 번아웃이 되었고 공부도 일도 모두 멈췄다.

일을 그만두고 집에서 생활하자니 주기적으로 멍하고 가슴이 답답했다. 그 주기가 점점 짧아졌다. 베란다를 뛰쳐나가 떨어져도 즉사하지 않을 확률이 높은 아파트 5층의 집. 집에서 노는데 해야 하는 일은 또 자꾸 늘었다. 이게 뭐야, 내 인생 한번 살아내기가 이리 힘들어서야. 어떡하면 좀 더 자유로울 수 있을까, 고민이 계속되었다. 시어머니는 일이 즐거운 분이다. 집에 일이 없으면 동네에서 일을 찾았다. 나는 내가 하고 싶었던 걸 해보기로 했다. 어머니 영역은 내 영역이 아니었다. 수영을 배우고 싶었다. 무너진 건강을 한번 챙겨 보자는 다짐이 있었기 때문이다. 시간이 많다고 생각했는데 그래서 많은 새로운 일을 해볼 수 있을 줄 알았는데, 시간 맞춰 강좌에 나가는 일조차 제대로 되지 않았다. 나가기 전에 해 놓아야 편안해지는 청소, 빨래, 식사 준비 등등의 기본적인 집안일들이 발목을 잡았다.

이런 그림자 노동을 거부하거나 최소화하는 '두 가지 극단적인 생활방식'**이 있다고 했다. 자급자족의 가치체계에 충실해 기쁘게 수용하는 방법과 다른 사람에게 떠맡기는 법. 그 방법을 궁리해 보기로 했다. 아무리 그래도 돈 벌러 나갈 때보다 시간이 있으니 과일잼이나 만두, 피

---

* 『그림자 노동의 역습』, 크레이그 램버트, 이현주 옮김, 민음사, 2016.

** 『그림자 노동의 역습』, 73쪽.

클 등은 직접 만들어 보기로 했다. 가족들이 좋아하는 것 같아 재미있었다. 매일 반복되는 일의 시간을 줄일 필요가 있었다. 옷빨래는 식구들 각자가 알아서 하기로 했다. 대신해 주는 사람을 찾자니, 그런 세상은 아무래도 모르겠고, 식기세척기와 전기밥솥 그리고 걸레 청소기를 샀다(오천 원짜리도 쉽게 못 사던 나였다). 덕분에 수영을 배웠다. 이제 나는 물이 무섭지 않게 되었다. 물속에 있는 것이 아늑하고 기뻤다. 시몬 베유가 그랬다. 노동자들이 자신의 삶 속에서 예술가들이 예술이라는 매개를 통해 간접적으로 추구하는 풍요로움을 소유할 수 있어야 한다고, 인간의 소명은 수고하여 순수한 기쁨에 도달하는 것이라고.*

학생도 직장인도 그만두었으니 오랫동안 괄시받던 내 책들을 정리하기로 했다. 요즘 보통 사람에게 책은 너무 크고 무겁다. 가지고 있고 싶어도 놓아둘 곳이 마땅치가 않다. 먼저 제본 책들을 전부 스캔을 떠 pdf 파일로 만들고 꼭 필요한 책들도 역시 파일로 만들어 외장하드에 넣었다. 중고로 팔 수 있는 건 팔고 전공 서적은 필요한 후배들에게 나눠주고 파괴한 책들은 모두 폐휴지로 팔았다. 폐휴지를 판 돈으로 가족들에게 짜장면과 탕수육을 쐈다. 책을 파괴하다 보니 만들어진 모양새가 저마다 다르다는 걸 알게 되었다. 단단히 만들어진 책을 뜯을 땐 아쉬운 마음이 컸다. 재활용되지도 않는다는 폐지에 대해서도 미안한 맘이 들었다. 책을 만지는 일이 즐거워졌다. 책을 많이 다루는 일이 무엇이 있을까. 그래서 나이 50에 사서가 되기로 했다.

---

* 「노예적이지 않은 노동의 첫째 조건」에서

사서자격증을 땄다. 도서관에 원서를 내보았다. 여러 번 떨어졌다. 면접 볼 수 있는 기회라도 얻으면 다행이었다. 하긴 청년들도 일자리 얻기 쉽지 않다는데. 이력서 쓰는 것부터가 일이었다. 일이라 할 만한 일을 해보지 않은 것 같아 고민이 되었다. 알바 노동자의 현재와 미래를 얘기한 『이것은 왜 직업이 아니란 말인가』라는 책도 있지 않은가. 무엇보다 마음을 괴롭히는 건 자기소개서였다. 젊어선 그렇게 잘만 써지던 것이…. 드라마 <나의 아저씨>의 지안이처럼 달리기를 잘한다고 쓰거나, 김영하 단편 「바람이 분다」에서처럼 '일자리를 구해요. 아무것도 잘하는 게 없어요. 워드를 조금 치고 컴퓨터 통신은 채팅만 잘해요. 컴퓨터 프로그래밍은 몰라요. 잘 웃고 아주 가끔 우울해요. 종교도 없고 친구도 없어요. 야근할 수 있지만 토요일은 일하고 싶지 않아요. 영화를 좋아하고 소설을 싫어해요. 바흐와 너바나를 좋아해요. 일터가 조용한 곳이면 좋겠어요. 호출기로 연락 주세요' 하고 쓰면 뽑아 주려나. 억지로라도 쿨할 수 있는 건 한 살이라도 어릴 때나 가능하다. 흔히 말하는 디지털 리터러시에 뒤떨어져 보일까 하여 컴퓨터활용능력도 땄다. 아무리 해도 나의 자기소개서에는 자꾸만 회한 비슷한 감정이 끼어들었다. 무엇보다 '왜 일을 하려 하는가?'에 대한 답이 있어야 했다. 자기소개서엔 너무 진지충이라 할 것 같아 못 쓰지만 그래도 내 마음속엔 나침반 같은 글이 하나 있다.

어떤 의욕이 없다면 삶은 실로 어둡이고
지식이 없다면 모든 의욕은 무모한 것이며,
노동이 없다면 모든 지식은 헛된 것이고,
사랑이 없다면 모든 노동은 공허한 것이다.

(「일에 대하여」, 칼릴 지브란, 『예언자』에서)

나는 공부를 좋아한다. 모든 것이 '공부'라시던 우리 할머니처럼, 늘 배우고 해보는 엄마처럼, 바지런한 우리 시어머니처럼, 나이가 아주 많이 들어서도 계속 일할 수 있는 사람이 되고 싶다. 나에게 '일한다'는 말은 '공부하다'는 말과 같다. 힘들었지만 살려니 필요했던 일, 그래도 열심히 했다. 알아주는 사람 없었으니 돈은 그리 많이 벌지 못했다. 이제 나는 나를 스스로 인정해 줄 수도 있는 나이가 아닐까. 누군가도 말했다, '아줌마는 인정이 필요하지 않아'라고. 내게 말해 본다, 그동안 수고가 참 많았구나. 책을 만지면 그 책을 읽은 사람들의 생각 한 조각, 작은 목소리가 들리는 것 같다. 그래서 작은 도서관이라도, 코로나라도, 배가나 책수선 봉사를 하러 나간다. 잘 빠지지 않는 살도 빠지는 힘든 날도 있다. 하지만 뭔가 모르게 뿌듯하다. 일하러 가는 아침이 기쁘다. 밥값 정도의 수고비도 나온다. 도서관에서 다른 일도 배우고 해볼 기회가 더 늙기 전에 있었으면 싶다. 일하는 게 노후 준비인 나는, 일이 너무 하고 싶다. 이제, 나를 위하는 것이 자식을 위한 일이고 사회를 위한 일이기도 한 나이가 되지 않았을까? 아니, 나를 좀 위해도 되는 나이가 아닐까?

폴 세잔처럼

그림과 인연이 있을 줄은 정말 몰랐다. 피아노를 치거나 노래를 좀 잘 부르는 사람이면 좋겠다, 생각한 적은 있지만. 정말 아무것도 하고 싶지 않았고, 간신히 아이를 성당 주일학교에 데리고 나갈 뿐이었다, 그때. 아이 미술교육을 위한 수업인 줄 알고 엄마들이 그림 강좌에 모여들었다. 그런데 그건 아이를 시키는 게 아니라 엄마들이 해야 하는 수업이었다. 나무를 그려 보라는 첫날 이후 썰물처럼 사람들이 빠져나가고 선생님과 나 그리고 한 엄마가 남았다. 진짜 아무것도 하고 싶지 않았다. 수업이 없어질 판이라 어쩔 수 없었다. 하느님은 짓궂달밖에. 정말 아무것도 하고 싶지 않았는데 다시 무언가를 하게 되었고, 그것이 그림이었다.

글이든 그림이든 발표할 기회가 있어야 는다. 논문도 쓰다 말고, 무슨 일이든 하다 말다 하던 나였다. 선생님은 자기 그림이 벽에 걸리는 걸 봐야 그림이란 게 뭔지를 안다고 했다. ○○협회에서 하는 미술대전에 내보라고 하셨다. 그리고 또 그렇게 하다, 말다, 시간이 흘렀다. 2021년 코로나가 한창이라 어디 나가지도 못하는 김에 한참을 묵혔던 미술 재료를 꺼내 다시 그림을 그리기 시작했다. 전시회에 출품하는 것도 돈을 내고 하는 일이다. 이번 전시회 전단을 보니 3만 원만 더 내면 두 점을 낼 수 있고, 두 점을 내는 사람은 상도 준다고 한다. 두 점을 출품했다. 상을 준다는 게 좋아서가 아니라, 어떤 상을 받게 될까, 하는 호기심 때문이었다. 그 상이란 것이 최우수상, 우수상 같은 게 아니라 고흐, 렘브란트, 모네, 밀레 등등 화가 이름으로 되어 있었다. 기준이 뭔지 알 수 없지만, 나의 어떤 그림이 어떤 화가의 이름으로 상을 받게 될지가 궁금했다.

마스크 쓰고, 손소독제 바르고, 벽에 걸린 내 그림을 보러 전시회장으로 걸어 들어갔다. 딸에 사위, 손자까지 와서 열심히 사진을 찍고 가는 화가들 틈에서, 투박하기 그지없는 자기 그림을 보는 데는 용기가 필요하다. 내가 그렸으면서도 내 그림을 똑바로 보는 게 나는 참 힘들다(글도 마찬가지다). 주변이 조용해지는 틈을 이용해 재빨리 사진을 찍었다. 그림 밑에 작게 '세잔 상'이라고 붙어 있다. 코로나가 한창이던 긴 장마 끝 9월, 창밖으로 내다본 동네와 파랗게 열리던 하늘을 그린 그림이었다.

세잔은 마티스와 피카소 등으로부터 존경받은 "현대미술의 아버지"라 불리는 화가다. 그가 그린 사과는 이브의 사과, 뉴튼의 사과와 더불어 세상을 바꾼 3대 사과라고 한다. 그림 배운 적 없고 사물을 보이는 대로 그리는 것도 버거운 나인데, 내 그림에 그런 대단한 분의 이름이 붙어 있으니, 돈은 이런 데 쓰는 거다 싶다가도 좀 창피하다. 둘러보니 딱히 설명해 줄 사람도 보이지 않았다. 그래서 생각했다. 누가 봐도 도드라지는 서투름 때문일 거야…. 세잔은 은행가였던 부자 아버지가 바라던 법률가가 되지 못하고, 대신 혼자 그림을 그리기 시작한 사람이다. 살롱전은 물론 당시 인상파 화가들이 유명세를 치른 낙선전에도 낙선할 만큼 인정받지 못해 늘 우울해했다고 한다. 2016년 영화 <나의 위대한 친구, 세잔>을 보니, <풀밭 위의 점심식사>(1863)와 <올랭피아>(1865)로 낙선전에 파란을 일으킨 에두아르 마네가 세잔의 그림(1866년 작 <화가 아버지의 초상>으로 보인다)을 보고 "조금 지저분한데"라며 폄하하는 장면이 있다. 영화를 조금 더 보노라면, 세잔 스스로 이렇게 토로하기도 한다. "섹스는 빨리 해치우면서 붓질은 느려터졌으니!" 세잔은 유명한 <사과와 오렌지가 있는 정물>을 6년, <대수욕도>의 경우 10년을 그렸다고 한다. 구연숙은 <두근두근 미술사>(네이버 블로그)에서 세잔의 국립 예술학교 낙방 사연을 전하면서, 그가 이렇게 말했다고도 한다. "나는 단순한 인물이고 아둔한 눈을 가졌고, 두 번이나 보자르에 응시했지만 들어가지 못했지. 머리가 내 관심을 끌기에 그걸 너무 크게 그려 버렸거든." 그도 그럴 것이 세잔의 데생이나 수채화 속 사물들은 바들바들 떨고 있고, 유화 속 사과와 오렌지들은 또로록 굴러떨어질 것만 같다.

뉴욕 현대미술관에서는 <세잔 드로잉>이라는 전시가 있었다. 코비드 덕분이라고 해야 할까. 관련 영상을 유튜브로 볼 수 있었다. 한 시간여 진행된 라이브 덕분에, 직접 본 것 아니어도, 뭔가 모르게 가슴이 설레었다. 도록이 있다는 걸 알고 동생 찬스를 썼다. 바빠서 들은 척도 안 할 줄 알았는데, 동생은 내 생일 선물로 전시 도록을 사서 보내 주었다. 오랜만에 엄마가 서울에 올라오셔서, 기특한 동생 두었다, 신나서 책 자랑을 했다. 그걸 들춰 보던 엄마가 그런다. "네 그림이 더 나아 보이는데." 나는 바로 대답한다. "내가 엄마 자식은 맞는데, 엄마, 세잔이에요, 세잔." "아무려면 세잔 할아버지가 그렸대도 내 딸이 그린 게 더 좋지 뭘." 엄마 말에 나는 한참을 웃었다. 어릴 적부터 엄마는 칭찬 솜씨가 좋았다.

나는 왜 내 그림이 '세잔 상'일까를 곰곰이 더 생각해 보았다. 두 달 만에 처음으로 파란 하늘을 보게 되어 기쁜 마음을 그렸다. 제목이 <장마 개인 날>인 건 '하늘이 해오리의 꿈처럼 푸르러 한 점 구름이 오늘 바다에 떨어지련만' 하고 시작하는 이용악의 시가 떠올랐기 때문이었다. '너는 해바라기처럼 웃지 않아도 좋다 배고프지 나의 사람아' 하는 시구가 내 맘 같아서, 아이랑 함께 내다보던 창밖 풍경을 그리며 붙인 거다. 이렇듯 평범하기 그지없고 뭣도 모르는 데다 안온한 나의 마음과 사람들과 부딪히면서도 자신이 그림에 대해 품은 이상을 포기하지 않고 우직했던 세잔의 성정 사이에도 접점이 있을 수 있을까?

세룰리안 블루, 코발트 블루 같은 파랑색 아크릴 물감에, 가지고 있던 만년필 잉크 가운데 터키 블루를 섞어, 청량하고 맑은 하늘을 그려 보려고 애썼다. 구름은 이웃집들 지붕 위로 마치 홍해가 갈라지듯 하고,

그 사이로 퍼지는 햇빛과 푸르름이 저 멀리 보이는 북한산까지 이어지는 장관을 어떡하든 그려 보고 싶었다. 삼각형의 붉은 흙색(번트 엄버, 번트 시에나) 지붕을 따라가다 보면 코발트색으로 이어지고, 청회색 사이로 햇빛이 비쳐든다. 저 멀리 푸르스름한 북한산이 누워 있다. 산 때문이었나? 세잔이 그린 '생트 빅투아르 산'과 연관 지어 본다. 세잔의 고향 엑상프로방스에 있다는 생트 빅투아르 산이 1,011m이고 북한산이 835.6m라니 둘 다 꽤 높은 산인데, 석회산인 생트 빅투아르를 생각한 건 아니었지만 북한산자락 모양이 그 비슷하게 그려진 것도 같다. 구름 모양은 루브르 박물관에 거대하게 서 있는 나이키(승리의 여신)의 펼친 날개 같기도 하다(빅투아르는 불어로 빅토리, 승리라는 뜻이다). 주택과 빌라의 지붕을 정말 열심히 지었다. 그리는 법을 잘 몰랐기 때문이랄 수 있다. 그렇게 한 채 한 채 지으면서 북한산까지 가다 보면 너무 멀어서 어쩔 수 없이 지붕이나 창문은 색으로 그린 세모와 네모가 된다. 비슷하게 그려 보려 애썼지만, 너무 힘들었다. 멀리 형태를 알아볼 수 없던 집들을 몇 번의 붓 터치로 대강 때웠다는 느낌이 들어 풍경에 미안한 맘이 들기도 했다.

1904년도에 그려진 세잔의 <생트 빅투아르 산>을 보았다. 세잔은 세상의 형태를 구, 원뿔, 원기둥 등으로 환원해서 그리려 했다고 한다. 그것이 그가 생각한 영원히 변하지 않는 형태의 본질이었다고. 이를 구현하는 것은 그의 색이다. 그렇구나. 그림을 그리며 고민하던 것들을 세잔이 공들여 발견한 과정에 별생각 없이 이입해 보니, 다음엔 이렇게 해봐야지 하는 의욕이 생긴다. 물론 의욕일 뿐 실현된다는 건 만무하지만 늘 그 과정에 내 것이 숨어 있다.

세잔을 공부하고 내 그림을 다시 보며 배운 것이 많다. 나는 풍경을 자주 그렸다. 주로 사진을 보고 그리게 된다. 솜씨도 없으면서 똑같이 그리려 애를 쓴 결과 엄마나 동생에게 "사진인 줄 알았어!"라는 말을 칭찬으로 들었다. 처음엔, 인터넷에 있는 멋진 사진을 그려 보곤 했다. 그런데 같은 주제의 풍경 사진이라도 내가 찍은 사진을 그릴 때는 뭔가 다르다. 내가 찍은 사진이나 내가 사랑하는 사람들이 찍은 사진으로 그리면, 향기가 나기도 하고 바람 같은 것이 뺨으로, 머리카락 사이로 스쳐 지나가기도 하며 때론 새소리가, 때론 물소리가, 때론 얼음이 쩍 녹는 소리, 나비가 날갯짓하는 소리마저 들리기도 한다. 그리고 무엇보다 상대도 없이 이야기를 나누고 있는 내 목소리를 듣는다. 다 그린 그림을 바라보노라면 궁금해진다. 그림을 보면서, 내가 그렸으니까, 그 냄새, 바람, 소리를 떠올린다지만 이 그림을 보는 다른 사람들도 나랑 같을 수 있을까?

물론 절대로 같을 수 없다. 그래서 잘하든 못하든 어떻든지, 창작을 하는 사람은 외로운가 보다. 엄청난 속도로 들끓는 열정을 무수히 쏟아도 이야기 들어 주는 단 한 사람 찾기 힘들었던 고흐의 고독은 감히 닿을 수 없는 저 너머에 있다. 나는 '생각해야만 한다. 눈만으로는 충분하지 않다. 생각도 해야 한다.'라면서 사물을 최대한 다양하게 바라보고 이를 한곳에 조화롭고 안정적으로 모으는 방법을 연구하는 세잔의 우울(blues)엔 조금은 공감할 수 있을 것 같다. 영화 <나의 위대한 친구, 세잔>에서 <올랭피아>를 출품한 마네에게 손이 더러워 악수할 수 없다면서 그의 평을 피하는 듯하던 세잔이 무심한 척 귀를 쫑긋하고 있다가 '지저분하다'는 평에 한숨 쉬며 돌아서는 장면에서 특히 그랬다. 그림을 남들 앞에 내놓아 보지 않고서는 절대로 알 수 없는 것이 있다. 그것이

'나'에 대한 것일지라도.

'움직임이 세잔의 풍경화에서 직관적으로 느껴지는 진실임을 깨닫게 된다'고 로렌스라는 사람이 말했다고 한다. 그의 얘기를 따라가며 만난 세잔의 그림은 ＜커다란 소나무와 생트 빅투아르 산＞(1885~1887)이라는 작품이다. 전영백이 ＜세잔의 사과＞에서 들뢰즈의『감각의 논리』를 빌려 소개하고 있는 이 그림에선 소나무 가지가 멀리 생트 빅투아르 산을 바라보고 있는 사람(그리는 사람, 그림을 보고 있는 사람) 바로 앞에서 흔들리고 있다. 이 순간, '관객으로서의 시선과 풍경의 장면이 분리된 상태가 아닌 상호 간의 공간적 소통으로 얽혀 들어가' '잡히지 않는 빛의 흔들림을 공감각적으로 느끼게 된다.'* 세잔이 말했다고 한다, "흘러가는 세상의 한순간일지라도 우리가 그 순간 자체가 되지 않는다면 우리는 그것을 보존할 수 없을 것"이라고. 들뢰즈의『감각의 논리』에 따르면 '감각은 현상학적으로 세상에 있음'**이다.

나는 오늘도 혼자 공부한다, 폴 세잔처럼. 물론 그처럼 위대한 발견을 할 수 있는 역량도 그럴 목표도 없지만. 여름 끝자락 불던 후텁지근한 바람에 흔들리는 연꽃 아래 지나간 시간 흔적처럼 꽃잎 그림자를 슬쩍 더해보기도 하고 4월, 흔들리는 목련 가지 위에 다른 빛으로 반짝이는 꽃을 올려놔 보기도 한다. 아무도 모를 줄 알았는데, 남편이 그림을 보고 이건 뭐냐고 물어 온다. 그 순간의 기쁨은 그림으로 그릴 수가 없어서 이렇게 한 줄 글로 남긴다.

---

* 『세잔의 사과』, 전영백, 한길사, 2021, 242쪽.

** 『감각의 논리』, G.들뢰즈, 하태환 옮김, 민음사, 1995, 63쪽.

내가 그림이 되다*

나는 내가 살아 있다는 것을 느껴, 라고 말할 때,
그것은 은유가 아니라 실재이다.**

"엄마는 못 볼 영화야."

<오징어 게임>이 삽시간에 유행할 때 아들내미가 리모컨을 손에 들고 우리도 보자면서 하는 말이다. 어떻길래 엄마가 보지 못할 영화냐 물으니, 보면 안단다. 그런 말이 어디 있니, 투덜댔지만 아빠까지 뭔데, 합류하면서 다 같이 보게 되었다(어머니는 주무시고). 나는 탕, 탕, 총소리가 울릴 때마다 화들짝 해댔고 선혈이 얼굴로 어디로 튈 때마다 어찌할 바 모르고 눈 가리기 바빴다. 보긴 보는데 에너지 소모가 정말 이만저만한 게 아니었다. 이런 영화를 왜 같이 보자는 거냐 따져 물으니, 엄마가 옆에서 그렇게 봐줘야 더 실감 나고 재밌단다. 어머 그런데 그게 왜 엄마가 못 볼 영화니, 이래 봬도 엄마 초현실주의 공부한 여자야, 너, 베이컨 그림 봤어, 정육점 고기처럼 사람이 막 잘리고 뒤틀리고…. 그러거나 말거나, 아빠나 아들이나 화면 보기 바쁘고, 어느새 나도 아, 왜 지금 끝나, 얼른얼른 다음 편, 하고 있었다.

* 『내가 그림이되다, 루시안 프로이드의 초상화』, 마틴 게이퍼드 지음, 주은정 옮김, 디자인하우스, 2013.

** 『예술은 어떻게 거짓이자 진실인가?』, 조경진, 사람의 무늬, 2016, 75쪽.

프랑스 문학 전공인 내겐 초현실주의가 뭔가 하고 이것저것 기웃하던 시절이 있다. 초현실주의자 루이 브뉘엘이 감독하고 살바도르 달리가 함께한 영화 <안달루시아의 개>에는 여자 눈을 면도칼로 가로 자르는 장면이 나온다. 보이는 게 다가 아니라는 걸 보여 주는 퍼포먼스 같은 거다. 눈을 새까맣게 칠해 자화상을 그린 화가 에바리스토의 그림을 보고 나는 눈물 흘린 적도 있다.* 그의 이 검은 눈은 인간의 고통과 슬픔을 표현한 것이라고 했다. 이들과 달리 <오징어 게임> 세트장은 화장품 가게처럼, 아이스크림 가게처럼 파스텔색으로 예쁘고 순진한 놀이로 가득했다. 클림트가 황금색으로 장식해 화려하게 그린 유디트 그림 같았달까. 홀로페르네스 목을 잘라 들고 관능적인 표정을 짓고 있는 그 유디트 말이다. 나는 관능이고 순진이고 뭐고 화가 아르테미시아 젠틸레스키가 그린 유디트가 더 끌린다. 이 그림 속 유디트는 소매를 위 팔뚝까지 걷어붙이고 칼로 머리를 자르는 일에 집중하고 있다. 클림트처럼 황금 칠을 해주고 퇴폐미라도 예쁘게 보여야 사람들이 바라보기 편할 텐데. 아니나 다를까, "여자 혼자서 이런 그림을 그리다니 무서운 여자다", 이탈리아의 한 미술 평론가는 젠틸레스키 그림을 보고 이렇게 말했다고 한다. 클림트 그림엔 팜므파탈의 유혹, 승리감 같은 게 보이고, 한번 해보자는 거니 뭐니, 그런 느낌이 드는데, 젠틸레스키 그림을 보고 있자면 그림 속 여자들이, 이봐요, 눈만 멀뚱멀뚱 그러고 가만히 있을 거야, 어서 와 잡아 주지 못해, 그러는 것 같다. 나는, 에구 난 못 봐, 애들이

---

* 에바리스토는 스페인 내전을 겪고 온갖 불행으로 점철된 삶을 그림으로 이겨 낸 종교화가였다. 그림을 같이 관람한 신부님은 그림이 암울해 전혀 종교화 같지 않다고 하셨다. 초현실주의 아니고 표현주의라고 한다. 86세 치매로 죽기 전 영상이 함께 전시되었는데 그 모습이 하도 해맑아 대조되었다.

보고 배우기라도 하면 어떻게 해, 하는 그런 아줌마가 아니다. 나는 이런 그림도, 영화도, 피하지 않고 똑바로 볼 수 있는 여자다.

그런 나지만…, 나는 거울을 잘 보지 않는다. 셀카도 잘 찍지 않는다. 거울 속에 내가, 더욱이 청춘을 지나 버린 내 모습을 보는 게, 참 불편해서다. 나이 들어도 멋있는 그런 인물도 아니고 앞집 엄마는, 더군다나 칠순이 넘은 우리 엄마도 예쁜데, 나는…, 그러면서 내가 나를 잘 쳐다보지 못한다. 눈곱은 잘 뗐나, 수염이 너무 자라지 않았나, 코털은 안 삐져나왔나, 이에는 뭐 낀 거 아닌지 보려면 모를까. 세수하려고 거울 가까이 얼굴을 붙여 눈썹을 정리한다. 그러다 문득, 근데 왜 브뉘엘은 자기 눈을 안 썰고 엄한 여자 눈을 써는 거냐, 의문이 든다. 애플 드라마 <Dr. 브레인>처럼 사람 머릿속 생각이 궁금했던 거냐.

다시 젠틸레스키가 떠올랐다. 붓을 들고 남자 얼굴을 그리고 있는 자기 모습을 그린 <회화의 알레고리>라는 작품이다. 프랜시스 보르젤로는 『자화상 그리는 여자들』에서 이 그림에 대해 말한다. '카메라 렌즈를 거즈로 덮은 듯한 표현을 전혀 찾아볼 수 없는 것은 이 그림이 사실과 마주하는 것을 두려워하지 않는 여성의 작품이라는 점을 암시한다.' "사실과 마주하는 것을 두려워하지 않는 여성"이라는 말을 읽고서 나는, 작은 거울을 들고 책상에 앉았다. 컴퓨터 모니터를 바라보고 있는 내 모습이 보고 싶었다. 불가능했다. 책을 읽고 있는 모습이 보고 싶었는데 그것 역시 불가능했다. 거울을 바라보고 있는 나밖에 볼 수 없었다. 뚫어져라 나를 바라보았다. 시도는 해보자고 셀카봉에 휴대폰을 세워 놓고 거울에 비친 내 모습을 찍어 보려고 했다. 휴대폰은 내가 거울 속에 만들어 놓고 보고 있는 그대로 찍지 못했다. 휴대폰 카메라 렌즈 각도가 나랑 달랐기 때문이다. 내 수준에선 카메라 렌즈를 내 눈높이와 비슷하게 맞추고 찍는 수밖에 없었다. 거울에 반사된 모습을 카메라가 받아 찍는다. 나는 거울도 바라보지 않고, 핸드폰도 보지 않고 책을 보거나 모니터를 바라보았다. 그러면 내가 아닌 시선으로 어떻게 보이는지 알 수 있으려나. 결과물은…, 놀라웠다. 심통 난 아줌마 같기도 하고(책, 배신이다), 남동생 살쪘을 때 모습이 보이네. 그래, 직시하자. 그 험한 꼴도 잘 보면서 내 꼴이 뭐 어떻다고 못 보고 그러냐, 싶어 거울에 비친 내 모습을 지긋이 바라보고 다시 사진을 찍었다. 더 남동생 같았지만 뭐, 평생 남자들이 부러웠잖아. 다른 사진 다 지우고 눈에 너무나 낯설기만 한 내 얼굴 사진을 프로크리에이트라는 앱으로 불러 그 위에 대고 선을 그렸다. 살 좀 빼야겠네. 아직 보고 싶지 않은 건 보이고 싶지 않아 저항하다 보니 선 몇 가닥 없는 그림이 되었다. 그래도 이제 막 내 눈을 바라보기 시작한 내가 저기서 나를 바라보고 있었다.

내가 그림이 되었다. 내가 남의 그림이 되는 건 불가능에 가깝다 치고, 내 그림이 되는 게 이렇게 쉬웠어? 이것이 나인가 싶긴 하다. 얼핏 무언가 본 것 같기도 하고. 이것 빼고 나머지 모두가 나일지도 모른다는 생각도 든다. 다초점 렌즈 때문인가…. 좀 물어봐야겠다 싶어 '누구게?' 하고 카톡에 올렸더니 대번에 나라고 알아보는 엄마와 여동생. 궁금해졌다. 그렇다면 내 그림처럼 나의 글이 되는 엄마는 내 글에 비친 엄마 모습을 어떻게 생각할까?

남의 그림이 된 사람들이 있다. 그들에게 물어봐야 조금 알게 될 텐데, 그들 목소리는 좀처럼 듣기 힘들다. 그린 사람에 의해 왜곡되거나 아예 배제되기 일쑤다. 위대한 화가 피카소, 그는 여러 여성과 사귀고 그 여인들을 '뮤즈' '영감' '연인' '사랑'이라 부르며 그림으로 남겼다. 동시에 그는 교제하던 여성을 정서적, 신체적으로 학대한 것으로도 유명하다. "여자는 고통받는 기계"라고도 했다.* 피카소 그림 <우는 여인>에서 볼 수 있는 눈물, 훌쩍임 등은 모두 피카소가 그렇게 만들고 보고 들은 것이다. 모델이었던 도라 마르가 생각하는 것과는 거리가 있을지 모른다.

무슨 조화인지 모르겠지만 역시 알고리즘의 소개로 누군가의 그림이 된 사람들 반응을 볼 수 있는 동영상을 보게 되었다. 일방적으로 힘을 휘두르는 창조자 피카소와 완전히 다른 분위기다. 데본 로드리게스(Devon Rodriguez)라는 젊은 화가(26세)가 뉴욕 지하철에서 앞에 앉은 사람을 그려서 "제가 당신을 그렸어요"라며 그림을 보여 주면 이를 받

* 「피카소의 폭력」, 『얼굴을 그리다』, 정중원, 민음사, 2020, 158~163쪽.

아 본 사람이 자신을 그린 그림을 보는 반응을 담은 것이다. 감동적이면서 신기한 영상이었다. 지하철이라는 공공장소에서 우연히 만나는 낯선 사람이 대상이 되고, 대상은 그리는 사람과 무관하게 완전히 자기 세계에서 자기 생각과 움직임에 빠져 있다. 그 모습을 보고 있는 화가가 그림을 그리는 과정도 고스란히 담겨 있다. 그림이 완성되자마자 즉각 그림의 대상 앞에 전시되는 셈이다. 그리는 사람과 그려지는 사람과의 소통이 순식간에 일어나면서 이 모든 과정이 그림과는 또 다른 작품이 되어 미디어를 통해 시청자와 만난다. 화가는 "당신 개가 예뻐서 그렸어요." "당신 재킷이 인상적이어서…." "당신 모자가 멋있어서…." "당신 문신이 아름다워서…" "어머니날 축하합니다." "국가를 위해 봉사해 주셔서 감사합니다." 등 그가 대상을 보고 발견한 걸 따뜻한 말과 함께 전하고 있다. 그림을 받은 사람들은 뜻밖의 선물에 놀라며 기뻐한다. 어떤 이는 가슴에 손을 얹고 눈물을 흘리기도 한다. 뉴욕 지하철을 이용하는 사람들, 그 평범해 보이면서도 특별한 모습도 신기하고, 그렇게 다양한 사람들 모두가 감동할 만큼, 화가의 실력도 놀랍고 대단했다. 그림을 그리는 사람이나 받는 사람이나 서로에게 "감사해요" "너무 감사합니다" 하는 모습은 영상을 보는 사람에게도 특별한 감정을 일으킨다. 그림을 그려 건네는 화가의 용기가 없었다면 낯설고 스쳐 지났을 사람들이었다. 깍쟁이 같은 할머니겠군, 애 엄마 피곤해 보이네, 온몸에 문신, 덩치 큰 흑인, 무서워, 그렇게 생각하며 지나쳤을지도 모르겠다.

눈에 띄는 건, 그림을 받아 들면 감동해 일어나면서 쓰고 있던 마스크를 시키지도 않았는데 벗는다는 사실이다. 동시에 자기 이름을 말해준다. 화가 데본은 마스크를 벗으며 다가오는 사람을 피하지 않는다. 악수하고 따뜻한 말을 나눈다. 자가격리, 거리두기로 고립된 시기 데본이 만든 틱톡 영상이 천만 이상 조회수를 기록했다고 한다. 그림을 그리면 작가가 그걸 팔아서 수익을 내기 마련인데 지하철 승객들은 오히려 '자기'를 그린 그림을 선물로 받아 소유한다. 돈은 영상 조회수가 만들어 주니, 그림을 그리는 주체, 그려진 대상 너, 나 할 것 없이 감동이 배가되고 그 크기가 클수록 수익이 높아져서 이 효과가 다시 사람들에게로 돌아간다. 예술적이다. 아니 예술이다. 나는 동영상을 보고 감탄하다가 곧 심각해졌다. 내가 사랑하는 엄마를 애써 그리고 쓴다지만, 부족하기만 한 실력에 늘 좌절하곤 했다. 잘못해 엄마를 곤란하게 하면 어쩌지. 남한테 자기 얘기는 하는 거 아니라고들 하잖아. 그래도 뉴욕 지하철에서 초상화가 데본이 그려 주는 그림을 받고 사생활 침해네, 누구 허락받고 그리는 거냐, 따지고 기분 나빠 하는 사람 없었다잖아….

그러다가 수잔 발라동이라는 한 프랑스 화가를 만났다. 화가 르누아르, 툴루즈 로트렉 등 그림의 모델이다가 화가가 된 여성이며, 음악가 에릭 사티의 연인이었고, 화가 위트릴로의 어머니였다. 나이 쉰이 훨씬 넘어 그렸다는 <푸른 방>이라는 그림 속 펑퍼짐한 인물이 정이 가고 귀여워 그녀에 관한 책을 도서관에 희망도서로 신청해 빌려 읽었다. 그리고 다시 서가에 꽂아 넣던 중이었다. 예술 주제 책을 죽 둘러보는데, 『내가, 그림이 되다: 루시안 프로이드의 초상화』*란 책이 인디고 색 표지가 닳아서 금방 찢어질 듯 위태해 보였다. 표지를 보강해 주어야겠군, 생각이 들어 집어 들고 와 읽기 시작했다. 책날개에는 '초상화가 무엇인가에 대한 이해를 돕는다' '…자신이 미술 작품으로 변모된다는 것이 어떠

* 루시안 프로이드(1922~2011), 정신분석학자 프로이드(프로이트)의 손자. 뛰어난 구상화가로 알려져 있으며 화가 프란시스 베이컨과도 절친. 사실적이면서도 독특한 묘사가 특징인 인물화와 초상화가 유명하다.

한 것인지에 대한 내면의 이야기를 들려준다'고 소개되어 있다. 구글도 아닌데, 이건 무슨 알고리즘일까? 책이 나를 부른 셈이다. 마틴 게이퍼드라는 미술 평론가가 루시안 프로이드 그림 <파란 스카프를 맨 남자>의 모델을 하며, 그림이 완성되기까지 7개월 동안 함께한 이야기를 쓴 책이었다. 마틴*은 프로이드가, '창조적이라는 것은 대단히 멋진 일…' '항상 화가가 되기를 꿈꾸었지만 재능이 없었습니다' 같은 진부한 이야기를 들으면 금세 우울해져서 바로 출구를 찾기 시작했다고 얘기해 준다(131쪽). 그래, 내가 궁금한 것도, 내가 글을 쓰는 이유도 그런 것들이 아니지. 말도 해보기 전에 지레 겁먹어 버리면 아무 일도 일어나지 않아. 두려워하지 말고 움츠리지 말자. '멈추고 싶은 곳에서 멈추면 됩니다. 끝나는 곳에서 다시 시작하면 됩니다. 반복되는 질문에 대해서도 마찬가지입니다' 말하는 이제니의 시**에서처럼 그렇게.

마틴에 의하면 '모델을 서는 것'은 '모델의 피부와 근육, 살 그리고 (그 존재를 인정한다면) 자아와 관련된 일이다'. 내게 반복되는 질문 역시 이 '자아'와 관련되어 있다. 그가 모델을 서고 내린 결론은 이렇다. '초상화는 양방향 행위'라는 것이다. 모델과 화가는 서로 소통해야 하고 그래서, 진지한 것이든 별 볼 일 없는 것이든 '모델이 지루함의 늪에 빠지는 것을 방지하는' 것이든, 대화가 중요하다. 그리는 이와 그려지는 이가 서로가 서로에게서 '나'를 찾게 되는 과정이랄까.

프로이드가 나를 관찰함으로써 나의 행동은 달라진다.(21쪽)

---

* 이름만 부르니 잘 아는 사람 같아 보이지만 그냥 부르기 쉬워서.

** 「돌을 만지는 심정으로 당신을 만지고」, 『그리하여 흘려 쓴 것들』, 이제니, 문학과지성사, 2020.

엄마를 보면서 글을 쓰고 있는 나도 늘 엄마 반응이 궁금하다. 얼굴 움직임, 눈짓, 표정을 유심히 본다. 엄마는 온화한 표정을 한 아줌마다. 세상에서 내 얘기를 가장 오래 들어 주는 사람이다. 엄마에 대한 글을 하나 쓰고 나면 바로 읽어 드린다. 어떠냐고 묻는다. 엄마는 좋다, 싫다 의견이 없다. 그냥, 잘 썼다, 한다. 정중원이 『얼굴을 그리다』에서, 자기 할머니에게 그림을 그려 드리니 잘 그렸다, 고맙다, 하셨는데 뒤에 보니, 주름이며 그런 것들이 보기 싫었다, 하셨더라는데, 엄마도 그런 건 아닌지 늘 걱정이다. 마틴도 '화가는 그림이 가능한 한 힘 있고 흥미로워지기를' 원하고 모델 역시 그것을 원하지만 '그림 속에서 자신이 좋게 보이기를 원할 수밖에 없다'고 고백하고 있다. 내 글을 여동생에게 읽어 주니 가만 듣다가 "언니, 나는 언니가 아빠를 그렇게 쓴 거 맘에 안 들어. 아빠는 말야…." "알아, 알아. 하지만, 내가 아빠 위인전을 쓰는 건 아니잖아. 나라는 사람이 가지고 있는 아빠에 대한 기억 일부일 뿐이라고."

개인의 지속적인 정체성이란 사실 존재하지 않을지도 모른다. 우리의 뇌 속에 실제로 존재하는 것은 결합, 즉 시간이 흘러도 지속되지만 다른 것들보다 그저 조금 더 강한 것일 뿐인 기억과 특징의 결합일 뿐이다.'(41쪽)

엄마는 잊을 만하면 뜬금없이 "네가 그렇게 쓴 걸 보고서야 내가 그런 사람인 줄 알았어. 전엔 아무 생각 없었는데."라고 한다. 대놓고 어디라고 말은 안 하지만 부연 설명이 필요하다 싶은 곳을 더 얘기하기도 한다. 이모가 했다는 "언니, 우리도 힘들었어."라는 말이 그 예라고 할 수 있다. 엄마도 나의 기분을 살피는 게 틀림없다. 전주로 콘서트를 보러 갔을 때다. 우리 옆자리에 앉았던 아가씨가 좀 무례하게 굴어 기분이 좋지 않았다. 엄마는 "내가 이래 보여도 이런 꼴 저런 꼴 다 겪은 사람인데 말이야." 하며 칠순 중반 할머니 같지 않게 일부러 신나게 흔들고 노래하는 에너지를 보여 준다. 원래도 먹는 데는 텔레파시가 통하는 사이지만 그날은 더 쿵짝이 맞아 긴 대화를 나눴다. 그리고 나는 엄마가 그날 밤새 제대로 잠을 이루지 못했다는 걸 알았다.

초상화의 역설은 이 끊임없는 다양성으로, 대상이 항상 움직인다는 사실에 있다. 살이 있는 존재는 생리적, 심리적으로 항상 끊임없이 변한다. 기분은 변하고 활기는 상승, 하강하며 신체도 서서히 늙는다.(73쪽)

프로이드의 모델로서 글을 쓰는 마틴은 말한다. '<파란색 스카프를 맨 남자>가 나를 묘사한 것만큼이나 프로이드를 묘사한 것이기도 하다 … 마찬가지로 그에 대한 내 생각과 느낌으로 가득한, 내가 지금 쓰고 있는 이 기록은 일종의 나의 자화상'이라고, '책을 쓰는 것도 … 체력의 문제이자 … 프로이드가 '의욕'이라고 즐겨 말하는 것, 즉 지속해 나가는 데 필요한 확신의 문제'라고.

그림이나 글이나 같은가 보다. 에셔의 그림 <손을 그리는 손>이 떠오른다. 오른손이 연필을 쥐고 왼손을 그리고 있다. 이를 따라가 보면 결국 그 왼손이 오른손을 그리고 있다는 걸 알게 된다. 나는 엄마 이야기를 쓰고 그 이야기 중에 엄마는 내 이야기가 되고 있다. 글 속에 책들도 마찬가지다. 얘기하다 책을 만나고, 읽다 보니 그 책을 얘기하게 되고 얘기하다 엄마를 만나고 나를 만나고 또 책을 만나고…, 끝도 없이 돌고 돈다. 나는 현기증이 날 것 같다고 엄마에게 말한다. 엄마는 늘 "서두르지

마. 가다 보면 닿게 돼 있어. 안달한다고 되는 게 아니더라" 한다. 마음이 급해지려 하면 나는, 엄마 말을 되뇌곤 한다. 내게 글이 되어 주는 엄마를 위해 내가 할 수 있는 유일한 배려이기도 하다. 그림의 모델인 마틴 게이퍼드에게 서두름이 없는 프로이드와 작업이 '마음을 느긋하게 하면서 긴장을 풀어주는 치료 효과'(117쪽)가 있었다고 하니, '서두르지 않는 것'은 내가 이 글을 쓰는 마지막까지 최선을 다해 지켜야 할 덕목일 듯하다.

> <파란색 스카프를 맨 남자>는 만남의 결과이기도 하다. 이 이미지에는 시간과 스쳐 지나갔던 느낌과 분위기 등 여러 요소가 담겨 있다. 그러므로 이 그림은 이 방 안에서 대화를 나누거나 그저 조용히 함께 머물렀던 그 모든 시간의 기록이다.(219쪽)

처음으로 그림의 모델이 된 마틴 게이퍼드는 프로이드가 그린 자기 모습을 보고 당황하지만 결국 그것이 무엇을 의미하든 받아들이기로 한다. 타인에게는 물론 자신에게도 꼭 같은 작가의 진실한 태도를 신뢰하기 때문이다.

> 나는 내 초상화가 사람들을 닮은 초상화가 아니라 사람들에 대한 초상화이기를 바랍니다. 모델과 닮은 것이 아니라 그림이 되기를 바랍니다.(112쪽)

단순하고 서툰 내 글이 되어 준 엄마도 한없이 투박한 내 얘기들을 엄마를 그린 글이 아니라 사람들에 대한 '글'로 받아들여 줄 수 있기를 바란다. 도서관 서가에 꽂힐 이 책을 그저 저 멀리서 잊지 않고 찾아온 별빛을 보듯 봐주시길. 딸은 엄마가 그렇게 믿어주리라 믿고 있다. 어제 넷플릭스에서 <토스카나>라는 영화를 보았다. 소박한 돌상이 하나 있었다. 돌아가신 아버지가 세운 것이라 했다. 영화의 끝에서 그 석상이, 셰프가 된 주인공이 어릴 때 아버지에게 요리를 배우며 수없이 반복해 쓰고 버린 달걀 껍데기를 채워 만든 것임을 알게 된다. 그 발밑에는 '딱 남들만큼 특별하다'고 씌어 있었다.

re

아직도 차마 하지 못하는 이야기.

아마도 삶이란 별빛 같은 것일까. 지금 이렇게 살아 있지만, 지금은 보이지 않는 것. 볼 수 없는 것. 문득 사라진다 해도, 무한의 시간 지나 어딘가에선 볼 수 있는 것. 살아지는 것, 사라지는 것….

할머니 담배 '태던' 시절에 대하여

늦은 시간 TV를 보고 있었다. 크게 유행한 <오징어 게임>에 나오는 인도 사람, 아누팜 트리파티가 출연해 민속촌을 돌아다니고 있다. 키 큰 파란 풀이 초가집 사이에서 자라고 있다. 담배라고 한다. 옛날에는 저렇게 담배를 집에서들 길렀다는 짧은 설명. 잠은 오고 소리는 점점 아득해진다. 오징어 게임, 거기 '한미녀'라는 캐릭터가 요란하게 끽연하는 장면이 있었는데. 그 장면이 떠오르자 무슨 이유인지 담배를 종이에 말아 할머니께 드리던 어린 시절이 생각난다.

담배를 태우는 사람들이 참 많았었다. 버스에서도, 심지어 비행기에서도 가능했다. 지금 아이들은 하는지 모르지만, 그, 왜, 애들 고무줄놀이 노래, '전우의 신체를 넘고 넘어… 화랑 담배 연기 속에…' 가사(사실은 군가였다)로도 아무렇지도 않았다. 얼마 전 사망한 장 폴 벨몽도가 잘근거리던 모습, 제인 버킨 옆에서 연신 연기를 뿜는 세르주 갱스부르, 써클(동아리)실 가득 뿌연 연기를 뿜으며 모여 있는 선배들. 우리나라는, 2002년 KT&G(Korea Tomorrow & Global)로 민영화되었다곤 하지만 정부에서 직접 담배를 만들어 팔았다. 17세기부터 20세기, 우리나라 기호품의 주도권을 쥐고 있던 담배는 조선 시대부터 지금까지 국고를 지켜 주는 든든한 존재였다고 한다.*

---

* 『담바고 문화사』, 안대회, 문학동네, 2015.

지금도 담배를 개인이 재배하는 게 가능할까? 예전 같으면 도서관에 가서 신문이며 이것저것 뒤적여야 겨우 알겠지만, 지금은 인터넷이 있다. 2014년 한겨레의 「담배 재배해 말아 피워도 되나」라는 기사에 따르면, 자신이 재배해 피우는 걸 규제하는 법은 없다. 하지만, 사적으로 만든 담배를 대가 없이 지인에게 건넨 거라도 법령 위반 소지가 있다고 한다. 더구나 담뱃잎의 품질과 생산량 등을 관리하는 KT&G가 계약재배할 농가에 종자를 주어야 이듬해 다시 농사를 지을 수 있는 구조라 사적 재배·제조를 시도하는 건 쉽지 않다고 한다.

아니, 왜 별안간 나는 담배 얘기가 하고 싶은 건지. 담배를 피우는 사람도 아닌데 말이다. '담배'라는 말을 따라 떠오르는 일들이 많으니 별일이다. 먼저, 시아버지…, 폐암인 줄 알면서도, 놔둬라, 이렇게 살다 죽을란다, 하시며 베란다 테이블에 앉아 담배를 태우다, 분 바른 것처럼 가녀리고 창백한 얼굴로 서둘러 떠나가셨다. 시아버지가 그렇게 가시고, 시동생 둘은 장가가고, 지금 나는 시어머니와 살고 있다. 시집오기 전까지는 엄마, 아빠와 함께 할머니와도 같이 살았다. 할아버지는 아빠 여덟 살 때 돌아가셔서, 아빠는 홀어머니의 외아들이었다.

국민학교(지금의 초등학교) 다닐 때였다. 할머니는 담배를 피우셨다. 그 모습을 기억하자니 그 장면엔 할머니와 같이 담배를 피우는, 엄마보다도 나이가 많은데 나는 오빠라고 부른, 지금까지도 오빠라 부르는 아니, 나중에 알았지만 사촌 오빠(고모가 있었다는 이야기다. 있었지만 없었던…)인 사람이 같이 앉아 있다. 이게 담배 냄새인가 싶은 생각이 들면 엄마는 우리 삼 남매를 바람이 통하는 마루로 내보내거나 나가 놀게 했다. 밖으로 나온 우리는 빨간 꽈리를 오물오물 입에 물고 놀았다.

할머니는 담배를 태면서 표를 떼시기(운수 떼기라고 부르기도)도 하고 또 가끔은 언니 오빠들과 화투를 치셨다. 표를 잘 떼려면 암산을 잘해야 했던 걸로 기억하는데 동네에서 별명이 '변호사'로 통하던 할머니가 표 떼시는 걸 보고 있자면 가뜩이나 작은 내 눈이 팽팽 돌아갔었다. 아빠도 태고 할머니도 태고 오빠도 폈으니, 담배에 늘 호기심이 일었다. 어느 날 화장대 위에 놓인 아빠 담배를 몰래 피워 보다 숨이 턱 막히고 매워 기겁하긴 했지만 시집와서 시아버지가, 시동생이 담배 피운다고 이상할 건 없었다. 생각해 보니, 결혼할 때 남편도 흡연자였다, 다섯 살 아들이 "아빠 담배 싫어요" 한 이후로 끊었지만. 담배 냄새는 너무 싫은데 담배를 피우는 사람이 그렇게 싫은 건 아니었나 보다.

나는 담배 피우는 남자와 결혼해 집을 전세 얻어 살았다. 어느 날 남편은 잘 다니던 회사를 그만두겠다고 했다. 전세금을 빼서 프랑스에 가보지 않겠느냐는 것이다. 불어를 전공했으니 좋지 않겠느냐고. 좋다고, 그래 보자, 떠난 프랑스에선 사람들이 훨씬 더 자유롭게 담배를 피웠다. 담배는 더 비싼데 저렇게 편히 피우다니 우리보다 잘사는 나라는 나란가보다 싶었다. 그때 나는 놀랐다. 프랑스 사람들은 담배를 태우고 꽁초를 그냥 바닥에 버려두었다(코로나가 끝난 지금 상암동 빌딩 사이사이 모습이 그때 같다). 21세기가 시작되던 해였다. 과 선배 하나가 말했다. 아는 프랑스 사람이 그러는데, "일거리를 주는 거"라고, 내가 알아서 치우면 사람들 고용할 일이 없지 않겠느냐 하더라고. 개똥과 담배꽁초로 기억에 남은 프랑스는 그런 선진국이었다.

사람들이 담배를 태우고 나면 프랑스 길거리마냥 흔적이 남는 게 보통이다. 쭉쭉 빨고 버린 꽁초가 남아 있거나, 어쩔 수 없이 퀴퀴한 냄새가 배어 있거나, 흡연 과정의 모든 분비물들을 받아 내는 그릇류가 남아 있다. 담배 피우는 사람은 자신이 어떤 흔적을 남기고 다니는지 잘 모르는 것 같다. 일하던 직장에서도 나는 떨어진 담배꽁초 모양, 구겨진 담뱃갑, 함께 남은 물건들을 보고 누가 다녀갔었는지 알 수 있었다. 담배 태는 사람들은 그저 피고 싶을 때 피고, 피고 싶은 곳에서 피고, 피고 싶은 만큼 피울 수 있는가만 생각하는 것 같다. 중독성이 있다는 게 그런 뜻일 것이다. 다음에 태울 새 담배와 라이터는 그들이 지키고야 마는 그들의 몫이고, 태우고 버린 꽁초와 뇌와 허파를 돌아 배출되는 연기는 담배를 피우지 않은 사람들의 몫이다.

생각은 꼬리에 꼬리를 물고 논문 발표하는 학교 강의실로 가 있다. 골초로 유명한 한 교수를 위해 조교들은 커다란 재떨이를 그 옆에 가져다 놓았다. 발표가 끝나자 교수는 그저 일어나 나가고 누군가가 재떨이를 들고 나갔다. 이런 일도 있었다. 성당 주일학교에서 열심히 국수를 말고 아이들 간식을 만들던 때였다. 무슨 행사 끝이었는지 아이들과 엄마들이 모여 식당에서 함께 밥을 먹는 자리가 있었다. 신부님이 격려차 오셨다. 사목회장이 모시고 왔다. 식당 테이블 가운데 자리한 신부님이 왼쪽 오른쪽을 번갈아 둘러보자 옆에 있던 사목회장 형제가 앞에 앉은 자모회장 엄마에게 눈짓한다. 자모회장 엄마가 흠칫 놀라자 "재떨이"라고 나직이 말한다. 신부님이 아이들과 엄마들 앞에서 담배를 피운다. 굼뜨게도 밀리고 밀려 그분들과 가까이 앉아 있던 내가 한마디 하지 않을 수 없었다. "식당에서는 금연인데요." 옆에 계시던 수녀님이 내게 눈치를 준다. 사목회장은 날 잡아먹을 기세로 말했다. "바깥양반은 집에서 담배 안 태시나?" 신부님은 겸연쩍게 담배를 비벼서 껐지만, 그 꽁초가 놓인 재떨이는 식탁 위에 남았다. 신부님이 다녀간 흔적이었다.

한 가지 얘기가 더 있다. 설거지하다 날씨가 좋아 내다보면 창밖으로 공터에 화분들과 작은 벤치가 모여 있는 게 보인다. 우리 시어머니를 비롯해 몇몇 아파트 사람들이 봄부터 가을까지 이른 아침 모여 즐겁게 꽃을 가꾸는 공간이다. 이곳에 가끔 빨간 모자를 쓰고 나타나 담배를 피우고 흔적을 남긴 채 홀연히 사라지곤 하는 총각이 둘 있다. 담배 피우기 좋은 장소란 걸 더 잘 아는 거지. 알고 보니 식구가 많아 집에 있기 힘든 사람들이라고. 결국 치우는 것은 이 예쁜 공간을 만든 아주머니들이 되고 만다. 어머님께 말씀드리니 "아이고, 한군데 잘 버리고만 가면 누가 뭐라 그럴꼬. 쯧쯧." 하신다. 그래도 어머니는 그 담배 피우는 사람들에게 뭐라 못하시고 "그냥 치우면 되지" 하신다. 어머님이 그러시는 것도 이해가 간다. 시동생과 같이 살 적 나는 왕할머니(시어머니의 어머니)께 시동생이 피운 담배꽁초가 쌓여 있는 재떨이를 비우지 않았다고 혼났다.

담배란 물건이 그렇다. 우리나라 민화에 그런 그림이 있다. 토끼가 호랑이 앞에 납작 엎드려 장죽을 올리는 그림. 이런 상황에 놓이면 나는 복잡한 감정에 알 수 없이 화가 난다. 누군가의 끽연에 나의 생명과 노력, 자유가 침해받는다는 불쾌감이 본능적으로 솟는다. 그다음 어째서 피는 사람 따로 있고 치우는 사람 따로 있는가 생각이 들면서 짜증이 난다.

베블런이란 학자가 쓴 『유한계급론』을 다시 읽었다. 귀족, 성직자 등 한가롭고 비생산적인 상류계급이 유한계급이다. 이 유한계급은 유목이나 수렵을 하며 살아가는 부족들에서 보이는 계급분화 단계 과정에서 생겼다. 열등 계급에는 노예와 하인은 물론 모든 여자가 포함된다(이런 분석에 눈이 확 뜨이고 동하는 건 여자인 나로선 어쩔 수 없는 일이다). 이들이 하는 일은 먹고살기 위해 매일 해야 하는 육체노동 즉, 생산활동이다. 남자들은 이 비천한 생산활동에서 면제시켜 전쟁, 사냥, 스포츠, 종교의식을 대비하고 이에 종사하게 했다. 이러한 활동들은 폭력과 지략을 공격적으로 구사하는 약탈본능에서 비롯된 것이다. 생산적인 노동이 아니라, 강탈에 의한 자산취득 활동으로 보면 된다. 집단이 다른 집단과 적대적인 관계에 돌입하는 순간부터 이런 역할분화는 가속화되었다. 전쟁, 사냥, 스포츠, 종교의식 같은 일은 명예로운 것. '명예롭다'는 말은 '우월한 힘을 과시한다'는 뜻이고 '가치 있다'는 것은 대단히 '우월하다'는 것이다.*

궁금한 것을 못 참는 나는 도서관에 가 담배에 관한 책을 빌렸다. 『담배의 사회문화사』에서 강준만은 이렇게 이야기를 시작한다. 1492년 콜럼버스가 신대륙을 발견한 후 남아메리카 고원 지대가 원산지인 담배는 유럽 부유층으로 퍼져 나갔다. 북미에 정착한 유럽인들이 신대륙에 정착할 수 있던 건 이 담배 덕분이다. 미국의 역사는 '담배의 역사'다. 토지를 척박하게 만드는 식물인 담배의 특성상 더 많은 토지가 필요하게 되었고 많은 노동력이 필요했기에 아프리카에서 노예를 데려오기 시작했다. 미국 초기역사에서 담배는 환금작물이었고 이주민들의 생명줄이나 다름없었다. 담배와 정부 권력은 이렇게 유착관계를 이루었고 이런 관계는 우리나라 경우도 크게 다르지 않다.

베블런이 말하는 유한계급의 과시적 소비는 우리나라 양반들의 담배 소비 양태를 보아도 잘 알 수 있다. 1867년 4월 대원군의 사치 금지

---

* 『유한계급론』(소스타인 베블런 지음, 김성균 옮김, 우물이 있는 집, 2012) 중 「유한계급의 기원」 참조.

령에는 담뱃대 길이 제한 조항이 들어 있었다고 한다. 넓은 갓을 쓰고 갓에 온갖 장식을 달며 소매가 펄럭이는 도포를 입은 양반들은, 담뱃대 길이가 50센티가 넘어 손이 담뱃대 끝부분에 닿지 않아서, 종들이 불을 붙여주지 않으면 담배를 피울 수 없었다. 이 모든 건 신분 서열을 과시하기 위함이었다. 조선 사람들은 너나없이 골초였다고 한다. 양반들은 불평했다. 위아래가 없어진다고, 여자들까지 핀다고, 나라의 근간을 위태롭게 한다고.

이번엔 '담배'로 검색해 영화를 하나 보았다. <담배 가게의 프로이트>라는 영화*였다. 그 속에선 노동자들이 피우는, 필터도 없고 질도 나쁜 담배 얘기가 나온다. 우리나라에도 노동자들의 흡연에 관한 이야기가 있다. 광산을 운영하는 독일인이 '시간은 금'인데 작업 효율이 오르지 않는다고 긴 담뱃대로 태우는 담배를 금지한다. 이에 노동자들은 파업했고, 광산 관리자가 외국에서 짧은 담배를 가져다 풀었더니 환호성을 올렸다….

잠깐 살펴본 담배에 관한 이야기들은 돈과 신분 과시, 약탈과 관련이 있었다. 돈을 벌자고 길러 팔기 시작했고, 그것이 국고를 채우니 국민이 골초가 되는 걸 방조했고, 세금을 더 걷으려고 담뱃값을 올리면 사람들은 다른 경로를 찾아내곤 했고, 그 경로를 찾아 서양 담배 회사들이 장사했고, 성인 남성의 흡연율이 줄어 장사가 힘들어지면, 교묘한 방법으로 여성과 청소년을 상대했다. 약탈과 정복의 극치인 세계대전과 금연을 강요하는 독재자들을 겪은 후 담배는 해방과 자유를 상징하며 상실의 아픔을 대신하게 된다.

---

* 원작은 오스트리아 작가 로베르트 제탈러의 『담배 가게 소년』이다.

안 해본 사람은 있어도 한 번만 해본 사람 없다는 담배의 중독성과 어울리는 전설도 있었다. 그 기원에 대한 신화도 있었다. 공주가 죽어 시신을 풀밭에 버렸는데 풀향기를 맡고 소생했다, 왕비의 죽은 넋이 연기로 변해 홀로 남은 남자의 그리움을 달래 주었다, 담배 연기로 뒤덮인 진흙에서 여성들이 탄생했다, 한 여성이 초자연적 변신을 통해 담배로 환생했다, 살해당한 식인종 여인의 유골에서 담배가 처음 자라났다 등등.

우리 할머니가 담배를 태기 시작한 이유는 이렇다. 할머니께 할아버지는 그렇게 다정할 수가 없었다. 어릴 적 제사상에 할아버지 영정사진을 보면, 계란형 얼굴에 흰 도포를 입고 계시는데, 혼자만의 생각이지만, 이정재를 닮았달까. 키가 커서 시골의 작은 초가집 정도는 훌훌 넘어 다니셨다고 한다. 하지만 할아버지는 어린 아들과 젊은 아내를 두고 시름시름 앓다 떠나셨다. 할아버지 제사상에는 늘 귤이 올랐다. 귤을 좋아하셨는데 그때 귤은 정말 귀한 과일이었기 때문이다. 할아버지가 돌아가시자 할머니는 믿을 수가 없었다. 눈이 키보다 높이 쌓이던 추운 겨울, 할머니는 매일같이 그 속을 헤치고 할아버지 무덤을 찾았다. 옷고름이 다 풀리고 저고리가 벗어지고 치마가 눈에 흠뻑 젖어 돌아 감겼다. 추운 줄도 몰랐다. 미친 듯이 무덤을 찾아가 울다 지쳐 돌아왔다. 그러던 어느 날이었다. 그날도 정신없이 무덤에 도착해 울었는데 갑자기 등골이 오싹해졌다. 소름이 끼쳤다. 그렇게 할머니는 할아버지와 이승에서의 정을 떼었다. 할머니는 죽을 때까지 수절해 할아버지와 한 무덤에 묻히겠다고 했다. 주변 사람들이 가만두지를 않았다. 함부로 대하는 사람들 때문에 힘들었다. 그때 동네 사람 누군가가 담배를 피워 보라고 권했다. 할머니는 그렇게 담배를 태우기 시작했다.

이야기를 나는 엄마에게 들었는데, 아무리 생각해 봐도 할머니 담배를 말아 드린 기억 말고 꽁초나 재를 치운 기억은 없다. 엄마에게 물었다. "엄마, 할머니가 담배 태시면 엄마가 치워 드렸어?" "아니, 할머니가 다 알아서 하셨지." 어느 순간 할머니는 담배를 끊으셨고 돌아가시기까지 죽을 때 힘들다며 보약이나 인삼 같은 것은 드시려고 하지 않았다. 담배를 끊고 매일 아침 하시던 긴 기도의 원대로, 소원대로, 할머니는 할아버지와 함께 묻히셨다. 세르주 갱스부르가 그랬다. "만약에 마지막 순간, 여자와 담배 중 하나를 선택해야 한다면 나는 담배를 고를 거야. 더 쉽게 버릴 수 있잖아." 멋있다고들 난리다. 그래 보이는 말이지만 분명히 반어법이다. 여자를 담배보다 더 쉽게 버리고 담배 바꿔 물 듯했던 그다.

담배가 아무리 위안이 된다 한들 담배 문화는 돈의 흐름 아래 약탈과 정복에 연결되어 있다. 전투에 나가기 전 오스만튀르크 병사들에게 지급된 마약처럼 세계대전 당시 서부전선에선 병사들에게 담배가 지급되면 곧 전투가 시작되는 것이었다 한다. 담배 포장에 붙어 있는 무시무시한 그림을 봐도 담배란 것이 분명 그렇게 좋은 건 아니다. 사람의 가장 아프고 허전한 내밀한 곳까지 돈이 파고든다고 생각하니 그걸 피우는 자유란 어쩌면 착각이다 싶다. 오늘날에도 여전히 조선 시대 양반들 말처럼 "여자는 피우면 안 된다" 하는 여성 혐오자가 있다. 또 그걸 굳이 피겠다며 자유를 부르짖는 "페미니스트"도 있다. 담배를 피우지 않는 사람 입장으로는 모두 난센스일 뿐이다. 담배를 피울 수 있는 것은 권리일까? <오징어 게임>의 한미녀가 담배를 숨겨 들어와 피우는 걸 보며 사람들은 말한다, 관리자들이 그래도 인간미가 있다고. 아니, 바로 그것이 돈이 전부인 자본주의 집단조직의 저열한 속성(담배의 생산·판매·소비는 테러, '구조적 폭력')이라고 말하고 싶다. 목숨을 걸고 돈을 따내기 위해 게임에 참여하는 볼품없는 여성 참가자에게서 곧 있을 전투를 대비해 끽연하는 병사의 모습이 비쳐 보였기 때문이다.

"공부 열심히 해. 그래야…"

"그래야 남들 뼈 빠지게 일할 때 놀 수 있는 거지."

『유한계급론』을 읽고 있던 나는 아들이 그렇게 답하자 깜짝 놀랐다. 양희은의 <엄마가 딸에게>라는 노래 가사에도 나오지 않는가. '공부해라. 그건 너무 교과서야.' 대학에 가는 공부를 한다는 게 그렇지, 아냐, 아냐, 일 안 해도 먹고 살 뿐만 아니라 쓸모없는 헛된 짓을 해도 용서받고, 오히려 그것이 자랑이고 과시인 유한계급이 여전한 것 사실이지만, 그런 생활은 우리처럼 열심히 일하는 사람들에겐 해당이 안 돼. 더구나 꿈꿀 것이 못 돼. 우리에게 그렇게 살 기회를 주지 않는다고, 공정하지 않다, 성낼 일이 아니란다.

'사랑해라. 아냐 그건 너무 어려워.' 할머니가 태우셨던 담배는 진짜 위로였을까? 담배를 피우는 것이 자신이 할 수 있는 선택이라지만 그것이 정말 자유의지에 의한 것일까? 어릴 적 할머니가 해주시던 옛날이야기는 때때로 '호랑이 담배 피우던 시절' 하고 시작되었다. 강준만에 의하면 '호랑이 담배 피우는 시절'이라는 말은 한편으로 짐승조차도 마음대로 담배 피우던 시절에 대한 향수를 담고 있다고 한다. 신분에 따른 담배 예절이 갖추어지기 전의 그리움을 담고 있다나. 담배, 이 요망한 물건. 결국 나는 꼬이고 꼬인 사오백 년간 세계 약탈의 역사와 자본주의의 어이없는 지배력에까지 화가 나고 만다.

모든 딸들이 엄마가 되는 게 꿈일 수는 없는 세상이니 '엄마처럼 좋은 엄마 되는 게 내 꿈'이란 가사는 놔두고, 노래가 전하는 중요한 메시지는 '너의 삶을 살아라'가 아닐까? 엄마가 된 나를 위해 그리고 딸은 아니라도 나의 아들을 위해 생각해 본다. '나의 삶을 산다'는 건 뭘까? '나의 삶을 산다'는 건 그저 자유롭게 담배 피우듯이 내가 하고 싶은 대로 할 수 있는 삶을 살 수 있다는 뜻은 아닐 것이다. 담배를 맘대로 피운다는 건, 담배와 돈과 이를 위한 약탈이 명예인 세상 논리에 따라 원형 경기장의 검투사처럼 살아야 한다는 뜻일 터이니. 그렇게 살지 않는 삶이란 가능한지, 할 수 있다면, 어찌해야 하는 건지, 이 나이 먹도록 나는 도무지 모르겠다. 소설 『담배가게 소년』에서 쾌락원칙을 이야기하는 끽연가 프로이트가 주인공 소년에게 이야기한다.

길을 아는 것이 우리의 운명은 아니란다. 길을 알지 못하는 것이야말로 우리의 운명이지. 우리가 세상에 태어난 건 대답을 얻기 위해서가 아니라 질문을 하기 위해서야. 말하자면 끊임없이 이어지는 어둠 속에서 더듬거리며 가는 거지. 크게 운이 좋아야만 간혹 작은 빛이나마 타오르는 걸 볼 수 있어. 그리고 커다란 용기를 내거나 끈기를 보이거나 우직함이 있어야만, 가장 좋은 건 세 가지를 다 갖춰야만 스스로 여기저기 흔적을 남길 수 있는 거야!*

크고 작은 폭력, 보이지 않는 경쟁이 여전한 세상으로 자신의 길을 찾아 떠나는 내 아이에게 나는 "너의 삶을 살아라"라고 신념을 가지고

* 『담배 가게 소년』, 로베르트 제탈러, 이기숙 옮김, 그러나, 2017, 240쪽.

말할 수 있을까? 그래, 꼭 말해 주고 싶다. 방법은 여전히 잘 몰라도 그리 사는 것만이 행복한 거라고. 아이뿐만 아니라 엄마에게도 믿음과 용기가 필요하단다…. 피우지도 않는 담배에 대해 생각하느라 책 붙들고 끙끙거린 이유는 이 때문이었다.

경멸과 증오가 유산이 되지 않게*

8년이 넘었네, 벌써. 버스에서 내렸는데 사람은 아무도 없고 마치 서부영화에 나오는 황량한 마을 가운데 선 것 같았다. 을씨년스럽게 흐린 날이었다. 산 입구까지 이어진 길 저 멀리 까마귀 떼가 푸드덕 날아올랐다. 생시르라포피. 초현실주의자 앙드레 브르통이 '푸른 장미로구나' 한 곳. 중세 마을이 그대로 남아 있고 어느 해인가는 프랑스에서 가장 아름답다고 꼽히기도 한 곳이다. 머리도 가슴도 터질 것 같던 한국에서 벗어나고만 싶었다. 산을 오르고 그 높은 곳에 서자 산머리 위로 아침 햇살이 구름을 한 움큼 쥐어 열고 있었다. 쫓아 올라오는 큰 검은 개를 피해 성당 안으로 들어가 숨을 고르고 앉았다. 십자가를 바라보며 머릿속을 뒤져 아는 기도문들을 하나, 둘 불러냈다. 우리나라 성당에서처럼 프랑스에도 주보 같은 게 놓여 있는 걸 보았다. 펼치면 A3 정도 되는 크기의 인쇄물이었다. 철심이 박힌 가운데가 휘리릭 펼쳐졌다. 똬리를 튼 뱀에 붙잡힌 아이가 뱀에게 최면이 걸린 것 같은 그림 아래로 '위험'이라는 불어 'danger'가 붉은 글씨로 두드러져 있다.

'위험. 정서적 지배는 가족, 친구, 직장 또는 애정 관계 속에도 존재할 수 있다. 관계가 감옥이 되어 버렸다는 사실을 어떻게 알고 이로부터

---

* 『정서적 지배*l'Emprise affective: sortir de sa prison*』, Saverio Tomasella·Barbara Ann Hubert, Eyrolles, 2014.

어떻게 벗어날까?'

숙소로 돌아와 가져온 주보 기사를 침대 위에 펼쳐 놓고 더듬더듬 읽기 시작했다. '오레스트는 오랫동안 불행했다. 왜냐하면 자신을 존중해 주지 않는 사람들에 의존했기 때문이다.' 오레스트라는 사람은 쉰 살이 넘은 남자다. 이 기사를 쓴 사람은 정신분석가 사베리오 토마셀라다. 그에 의하면, 오레스트는 혼자되는 것을 견디지 못해 '외롭지만 자유로운 것보다 누군가에 의존하고 불행한 것을 선택했다.' 이런 태도 때문에 그는 다른 사람들에게 쉽게 지배당했다. 이 사람은 정서적 지배를 받고 있다. 그가 거기서 빠져나오려면 '자기 자신과 마주하고 혼자서도 살 수 있음을 깨달아야 한다'고 한다. '누구에게도 의지하지 말고 무엇보다 타인과의 관계로 자신을 정의하지 말아야 한다.' 정서적 지배에 놓여 있다는 걸 알아야 거기서 빠져나올 수 있다면서 이를 알 수 있는 열쇠로 여섯 가지가 제시되어 있다.

그중에 '이상화idéalisation'라는 개념이 눈에 들어왔다. 정서적 지배를 받는 사람은 도리어 그 관계가 아름답고 선하며 풍요롭다고 믿는다. 지배하고 있는 존재가 그렇게 믿도록 만들기 때문이다. 똬리를 튼 뱀이 지배하는 사람이고 최면에 걸려 눈이 빙글빙글 돌아가던 아이가 오레스트처럼 지배를 당하는 사람을 표현한 것이었나 보다. 토마셀라는 '감옥에 갇힌 메두사'를 예로 든다. 메두사는 간수에 의지해 자기 목숨이 그에게 달려 있다고, 혹은 그가 없다면 자기가 사는 건 불가능하다고 믿기 때문이다. 타인을 정서적으로 장악하는 것은 조금씩 은밀하게 이루어진다. 지배자가 피지배자를 자기보다 "열등하게" 생각할수록(직장 또는 사회에서 하급자라 여겨지는 사람들) 또는 어린이나 노인 등 실질적인 약자라면 먹이가 되기 쉽다.

생시르라포피 성당에서 알게 된 사베리오 토마셀라의 책 『정서적 지배*l'Emprise affective*』(2014)를 다 읽은 건 아마 삼사 년이 지나서였을 것이다. 다른 토마셀라 책 몇 권과 함께 틈틈이 읽었다. 책에는 정서적 지배로 불행했던 사람들 이야기와 영화 속 인물을 예로든 설명이 들어 있었다. 히치콕, 고다르, 비스콘티 등의 영화도 있었고 <블랙 스완> <브로크백 마운틴> <킹스 스피치>도 있었고…, 하지만 잘 모르겠는 영화도 꽤 있어서 찾아지는 대로 하나씩 보는 재미가 쏠쏠했다. 그렇게 시간이 흘렀다. 혹시 내가 공부도 일도 모두 그만두고 어디로 사라져서 뭘 하며 지냈는지 궁금한 분들이 있을까 하여, 혹시나 있을까 하여 말씀드린다. 문득문득 이 책을 읽으며 영화를 보며 그럭저럭 잘 지내고 있었다고. 정해지지 않은 하루하루 무언가를 선택해야 할 때마다 머릿속을 정리해 주던 것도 이 책이었다. 어느 순간인가 사람들이 '가스라이팅'이라는 단어를 사용하기 시작했다. 영화 <가스등>도 보고 설명하는 내용들을 보니 이 책에서 말하는 '정서적 지배'와 비슷한 심리 용어인가 보다. 가스라이팅은 '상대방이 본인을 의심하도록 함으로써 상대방을 자유자재로 움직이는 정신적 학대를 일컫는 말'로 2022년 미국 미리엄-웹스터 사전 선정 '올해의 단어'로 뽑혔다. 단어 검색량이 전년보다 1740%나 증가했기 때문이라 한다. 8년 전 나처럼 지금 갑갑하게 사는 사람들이 그렇게 많다는 뜻이리라.

수영장에 갔었다. 머리를 감으면 머리카락이 정신없게 빠진다. 갑자기 어디선가 사이렌 소리가 들렸다. 말은 안 하지만 옆에서 샤워하는 아줌마도 불안한 눈치다. 나는 얼른 수영복을 입었다. 아니, 서두르다 보니 여기저기서 뭉치고 말려서 안간힘을 써도 제대로 입어지지 않았다. "아줌마, 수영복 입기 전에 뒤 머리카락 좀 어떻게 하고 들어가시죠." 늘 이렇게 지적하는 사람들이 있다. 수영복을 못 입고 있으면 불쑥 손을 집어넣어 끌어 올려 주는 사람도 있다. 친절하고 바지런한 사람들. 우리나라에서는 그걸 '정'이라고도 부르고 '오지랖'이라고도 부른다. 그래도 그렇지, 같은 어른으로 설마 잘 씻지도 않고 물에 들어갈까. 좀 오래 걸려서 그렇지, 내가 내 수영복도 못다 입을 할머니로 보이나. 나는 말했다. 사이렌 소리가 들리는 것 같아서요, 일단 옷은 입고 있어야 할 것 같아서 당황했네요. 그 소리에 누군가 이야기해 준다. 아, 그 소리, 옆 샤워 꼭지가 고장 나 나는 소리예요…. 참, 아침에 라디오를 듣는 게 아니었어. 아침부터 기자, 정치인, 정치평론가 등이 나와서 설전을 벌였다. 언제 적 듣던 말이냐, 주사파니 빨갱이니 '있지도 없는' 흰싱 같은 이야기를 놓고 싸우는 소리에 내 머리가 어떻게 됐나 보다. 꼭 사이렌 소리였는데.

『정서적 지배』 책에도 오늘 아침 라디오에서 뭔 소리야, 싶은 이해 못 할 말을 늘어놓던 그 정치인 같은 사람이 나온다. 존 에드가 후버, 토마셀라가 소개하고 있는 클린트 이스트우드 감독 영화 <제이. 에드가> 주인공이다. 영화 끝에 나오는 닉슨 대통령 추도사에 의하면, 존 에드가 후버는 'FBI 국장으로 48년을 일하며 FBI를 전 세계에서 최고의 법 집행 기관으로 키운' 사람이다. 영화는 젊은 직원들을 불러 자신의 전기를 쓰게 하는 후버 국장의 이야기로 시작한다. 그 이야기는 1919년부터 시작이다. 그에게 공산주의는 '병'이고 볼셰비키 공산당원들은 모두 과격론자다. 엠마 골드먼 같은 이민자이면서 아나키스트, 인권 투쟁을 벌였던 것으로 유명한 엘리너 루스벨트, 석탄 파업하는 노동자 등은 모두 폭도 또는 선동자, 공산주의자들이란다. 그리고 마틴 루터 킹이 노벨상(1964년)을 받는 것도 '불량배들과 과격분자들이 국제적으로 칭송받고 있다'며 1920년부터 그가 고수해 온 기준을 들이대며 불쾌해한다. 후버 국장의 독백을 자막으로 번역된 그대로 옮겨 본다. "도덕이 무너지면 선한 자는 아무것도 안 하고 악한 자는 번창하는 법이지. 모든 시민에게는 자신의 가정과 아이들에 대한 위협을 알아야 할 의무가 있다. 과거로부터 배우려 하지 않는 미래는 비관적이다. 절대로 역사를 잊어서는 안 된다. 결코 긴장을 늦춰서도 안 된다. 요즘에도 미국을 겨냥한 조직들이 있다. 시민의 안녕과 행복을 파괴하고 이곳을 무법천지로 만들려는 자들 말이다."

케네디 법무장관에게 형 케네디를 도청한 내용으로 협박하면서도, 도청은 명령을 따른 것이고 장관과 대통령을 보호하려는 것으로 자신은 나라의 안녕을 최우선으로 여긴다고 한다. 국민에겐 '저희는 여러분을 위한 기관입니다'라고 홍보하고, 도청을 승인받으면서는 이를 통해 나라를 구할 거라 장담한다. '정의'를 말하고 '헌신'을 말하면서 '대적 정보 활동'이라는 것도 서슴지 않는데 그는 말하길, "사실이 아닐수록 그 효과는 더 큰 법"이란다.—그러니까 클린트 이스트우드 감독님, 후버는 어떤 사람이라는 건가요. 그가 수사했다는 엘리너 루스벨트, 케네디, 마틴 루터 킹 등에 대한 의혹이 정말인가요.—누군가 수사기법의 고도화를 위해 과학적 방법과 정보를 체계화한 공은 인정된다고 하니, "내가 칭송받는 건 당연하잖아."라고 호언하는 에드가. "나라를 볼셰비키 침입으로부터 구하고 과격분자들도 없앴으며…." 그의 머릿속은 자화자찬으로 가득 차 있다. 영화 시작하고 두 시간을 귀에 못이 앉도록 들은 후버의 영웅적 이야기는 '거짓말'이다. 영화 마지막, 후버 넘버투맨이며 그의 동성애 대상이기도 했던 클라이드 톨슨이라는 인물이 하는 말로 이 사실을 알게 되는 순간, 꾹 참아왔던 숨을 뱉고 영화를 되돌려 확인하느라 그제야 비로소 마음이 다급해진다. 토마셀라는 이 영화의 주인공 '제이 에드가'가 정서적 지배 관계 속에 살았다고 본다.

정서적 지배는 정신을 죽이는 것이다. 삶, 세상, 인간, 관계에 대한 거짓말을 양분으로 하기 때문이다. 의도적으로 기획한 착각이며 교묘하게 조직하는 기만이다.

톨슨이 후버에게 "모두 거짓말"이라 하자 후버는 톨슨에게 말한다. "자네를 고용하는 게 아니었어. 그거 알아? 자격도 미달이었지. … 네가 필요했고 … 평생 다른 사람은 필요하지 않았어 … 아무도 못 믿겠어 … 너에게만 의지하고 있다고 …." '사랑한다'고 이야기한 바 있던 톨슨과 달리 후버는 그에게 '네가 필요하다'고 하고 있다. 돌아서 층계를 올라가며 뜬금없는 독백이 이어진다. '우리 민주주의의 본질은 개개인이 소중하다는 믿음을 바탕으로 한다. 삶은 인간이 만든 시스템을 초월하는 의미를 가졌다. 사랑은 이 세상에서 가장 강한 힘이며 증오나 부자연스러운 인간이 만들어 낸 경계보다 더 영속적이다.'

말 자체에 대해선 반박할 수가 없다. 그가 그렇게 믿고 있다는데 어쩌랴. 그래서 그를 악하게 보질 못한다. 하지만 그의 모든 행동과 태도가 착각과 기만, 거짓말 위에 있는 거라면 우리는 정신을 차려야 한다. '짐이 곧 국가다' 하는 절대군주보다도 더한 망상이랄까. 자기가 '민주주의의 본질'이고 '삶'이고 '사랑'이다. 그런 '민주주의의 본질' '삶' '사랑'이라는 개념이 인간을 초월해 있다. '인간'이라는 주어에 자기 자신은 빠져 있다. 그 번듯한 말속에 숨어 있는 경멸과 증오를 알아채야 한다. 토마셀라는 이것을 '광기'라고, 힘을 과시하던 독재자들의 그것과 같은 것이라 지적하고 있다. 그리고 정서적 지배 관계를 후버와 후버 어머니의 관계에서도 찾아낸다. 모든 걸 챙겨 주는 어머니를 에드가 후버는 맹목적으로 의지하고 따른다. 그의 어머니는 그에게 정신이 온전치 않은 아버지처럼 되면 안 된다고 반복해 말한다. "마샤 부인이 오늘 아침에 계시를 받았다는구나. 나더러 드레스를 사라고 했어. 네 아버지가 곧 죽을 거라더라. 그러면 네가 이 나라에서 가장 강력한 남자가 될 거야. 네 형도 좋은 사람이지만, 우리 집안을 일으킬 사람은 바로 너란다." 또, 그가 여자들하고 춤추기 싫다고, 창피하다고 하자 어머니는, 어릴 적 여장하다 놀림을 받고 수치심에 권총 자살한 친구 이야기를 하며, "내 아들이 그런 증상이 없는 걸 내가 얼마나 감사하며 사는데 … 그런 아들을 갖느니 차라리 죽은 아들이 더 나아."라 말한다. 토마셀라는 후버가 그의 어머니로부터 '사랑'으로 위장한 '증오'를 물려받았다고 설명하고 있다.

이런 부모나 배우자들은 이들을 이용하고 이들을 통한 성공을 꿈꾼다. 분별없이 이를 유산으로 받아들이면 위험하다. "정상"을 가장해 증오라는 유산을 물려주게 되기 때문이다.

'구글 트렌드로 밝혀낸 충격적인 인간의 욕망'을 부제로 달고 있는 책 『모두 거짓말을 한다』*에는 '사람들이 말하는 것을 믿지 말고 행동하는 것을 믿어라'고 했다. '사람들이 자신의 모습을 더 낫게 보이게 하기 위해서 친구에게, 설문조사에, 스스로에게 거짓말을 한다 … 세상 역시 오해의 소지가 있는 불완전한 데이터를 제시하는 방법으로 우리에게 거짓말을 한다'고 한다. '말만 번지르하게 한다'는 말도 있듯이, 사람들은 말이 그럴듯하다고 그대로 믿고, 그러지 않는다. 하지만 '광고를 가장 많이 하는 제품이 매출이 가장 높다는 데에는 의심의 여지가 없다' 하듯, 노출 빈도가 높으면 진짜인 것으로, 좋은 것으로, 타당한 것으로 믿는 경향이 있다. 보수든, 진보든, 중도든 어떤 진영이든지, 젊어서든 늙어서든, 요즘은 모두 한결같이 화가 나 있다. '성난 사람들을 가르치려 하면 오히려 분노가 커질 수 있다'고 『모두 거짓말을 한다』의 저자 세스 스티븐스 다비도위츠는 말한다. 난 그냥 아줌만데, 평범한 주부인데, 이 와중에 화내지 않고 뭘 어떻게 해야 좀 창의적으로 세상을 사랑하고 살아 나갈 수 있을까? 어떻게 하면 '경멸'과 '증오'를 유산으로 물려주지 않을 수 있을까?

* 『모두 거짓말을 한다: 구글 트렌드로 밝혀낸 충격적인 인간의 욕망』, 세스 스티븐스 다비도위츠 지음, 이영래 옮김, 더퀘스트(길벗), 2022.

할머니의 옛날이야기

장미가 붉고 햇살이 덥다. 푸른 물줄기, 아이들 웃음소리가 싱그럽게 울리고, 비발디 <사계> 중 <여름>이 담긴, 작가 이수지의 그림책 『여름이 온다』를 할머니를 뵈러 어버이날 찾아온 조카들에게 어린이날 선물로 건넸다. 루시드 폴의 노래가 풀어놓는 『물이 되는 꿈』도 서로 돌려보라며 들려 보냈다. 나는 뭉클하고 좋아서 주었다만은, 애들은 그저 물끄러미 쳐다볼 뿐 시큰둥하다. 이런 아이들의 반응, 재밌다. 세상에 넘쳐나는 게 정보라서, 책을 읽지 않고서도 찬사를 보내거나 비판하는 게 가능하고, 열이면 아홉은 아는 만큼밖에는, 들은 만큼밖에는 좋아할 수 없는 것 같기 때문이다. 언제가 될지 모르겠지만 이 아이들은 때가 되면 싫든지 좋든지 온전히 자신만의 생각을 가지게 될 것이다. 그것이 설레는 일이랄까. 『여름이 온다』의 아이들처럼, 파란 나무와 하늘이 있는 마당에서 신나게 물 뿌리면서 놀게 해줄 수 있다면 더 좋을 텐데.

서울에서 태어나, 오전 오후 반 수업하던 국민학교를 나와, 한 반에 육칠십 명씩인 중고등학교를 마친 내게도, 아파트가 아니라, 고추와 토마토를 기르던 마당이 있고, 썩은 나무를 갈아 주어야 하는 마루가 있던, 단독주택의 추억이 있다. 한여름이면 마당에 커다란 고무 대야를 놓고 물을 받아 놀았다. 놀다 지치면 마루에 누워 낮잠을 잤고 소설에서처럼, 드라마에서처럼, 할머니는 이마의 땀을 손으로 쓸어 닦으며 부채를 부쳐 주셨다. 할머니가 붉은 토마토를 마당에서 따오시고 수박을 쪼개면,

엄마는 사 온 얼음으로 화채를 해줬다. 그런 기억이 내게도 있었다. 아빠랑 서해에 가 수영을 배우다 큰일 날 뻔한 이후로 그리고, 대학교 1학년까지 괴롭히던 피부병 때문에, 이렇게 신나게 물놀이를 해본 적은 더 없었을 거다. 대학 2학년 지금의 남편을 만나면서 거짓말처럼 피부병이 사라져, 다시 바다 물속에 첨벙 들어가 몸을 휘감는 파도를 껑충껑충 타며 놀 수 있게 되었다. 별처럼 멀게만 느껴지는 이야기들이다. 까만 밤, 방불을 끄자 보이던 별빛 같달까. 흔하디흔한 이야기 하나일 뿐인데, 내게도 있다는 게 신기하고 다 가진 것처럼 뿌듯한 건 왜일까.

할머니와 나는 개띠다. 육십갑자 한 바퀴 돌 만큼 차이다(우리 아들과 시어머니 나이 차). 내가 결혼할 때 할머니는 팔십팔 세셨다. 그때 연세가 그렇게나 되셨다니, 그러고 2년도 안 돼 돌아가신 거구나. 할머니가 아프신 주기는 내 시험 때와 늘 겹쳤다. 고3 때 할머니는 대장암 수술로 입원해 계셨다. 대학원 시험준비를 하고 있을 때였다. 시험 날이던가, 그 전날이던가 새벽, 아직 날이 밝지 않았는데 머리맡에 할머니가 오셔서 내 이마를 쓰다듬어 머리카락을 넘겨 주고 계셨다. 그리고 연락 한 통을 받았다. 할머니가 위독하시니 ○○병원으로 빨리 오라는 전화였다. 창문 밖 멀리 눈길 한 번 주고 포르르 눈 감으시던 모습이 생생하다. 감자를 손으로 문질러 닦을 때면 할머니가 이마를 쓸어 주시던 그 느낌이 떠오르곤 한다. 그와 함께 성탄 전날 밤, 우리 삼 남매를 재우려고 할머니가 해주시던 개미, 메뚜기, 두루미에 관한 옛이야기가 떠오른다.

옛날 옛날 아주 오랜 옛날에 개미, 메뚜기, 두루미는 지금과 같은 모양이 아니었다. 심지어 셋이 사이좋은 친구이기까지 했다. 어느 날 세 녀석이 개울가로 놀러 갔다. 개울가엔 할머니 할아버지 부부가 물고기를 낚고 있었다. 이 할아버지 할머니에겐 늦둥이 아들이 있었다. 할머니 할아버지는 이 아들이 너무 예뻐서, 일하고 돌아오는 밤이면 아들과 노는 게 사는 낙이었다. 할아버지가 "저기 엄마 한 대 톡 치고 오너라." 하면 아들이 할머니에게 가, 톡 치고 오고, 할머니가 "저기 아부지 한 대 톡 치고 오너라." 하면 할아버지에게 가, 톡 치고 오고, 그러면 할머니 할아버지는 그 모습이 귀여워서 웃음이 끊이지 않았다. 그러다 아이는 이 놀이가 버릇되어 자라서도 할머니 할아버지를 퍽하고 치는데, 다 큰 아들 녀석의 손은 너무 매웠다. 할머니 할아버지는 못 견뎌 도망 나왔다. 낚시한 것으로 국을 끓이려는데 이분들이 눈이 너무 안 좋은 것이다. 그래 똥하고 된장하고 구분을 못 하는 바람에 할머니는 똥을 국에 풀어 버렸다. 이 모습을 본 개미, 메뚜기, 두루미가 웃음을 참지 못했다. 개미는 배꼽을 잡고 너무 웃는 바람에 허리가 그렇게 가늘어졌고, 두루미는 부리를 잡고 웃어 대는 통에 입이 뾰족해졌다. 이때 웃느라 발을 삐끗한 메뚜기가 튀어 오른 물고기에 먹혔는데 이 물고기가 할아버지 낚싯대에 걸렸다. 물고기 배를 가르자 그 뱃속에서 튀어나온 메뚜기가 하도 머쓱해 이마를 쓸어 대는 바람에 메뚜기 이마가 그렇게 벗어진 거다.

웃으시며 메뚜기가 이마를 쓰는 모습을 흉내 내던 할머니의 손짓이 너무 재밌어서 우리 셋은 깔깔 웃다가 아빠, 엄마한테 얼른 자라는 꾸지람을 들었지만, 그 할머니, 할아버지를 때리던 버릇없는 아들이 궁금해서 할머니께 조잘조잘 묻기 바빴다.

엄마, 아부지가 계시지 않으니 아들은 너무 배가 고팠다. 도저히 참을 수 없던 아들은 산속 집에서 나와 마을로 가 서성거렸다…. 이야기가 이쯤 되면 너무 졸리기도 하고 해서 이 아들이 뭘 했는지 꿈결이 돼버린다. 원래 숯장이 아들이었다는 거 같기도 하고, 소가 될 정도로 게으른 사람이었다고 하는 것 같기도 하고, 지붕을 뛰어넘어 다닐 정도로 장사였다는 것 같기도 하고, 아무튼 어느 부잣집 담벼락에서 똥을 누는데, 담 너머에 있던 부자가 화가 나 달려와 보니, 그놈이 먹은 것도 없는데 똥은 푸짐하게 잘 눈다고 뭐가 돼도 될 놈이라 했다나….

그렇게 잠이 들면 다음 날 아침 머리맡에 소꿉놀이 세트, 병원 놀이 세트, 과자 선물 세트 그런 것들이 놓여 있곤 했다. 할머니의 이야기는 시작도 없고 끝도 없었다. 이 개미, 메뚜기 이야기 끝이 무덤을 파던 구미호로 끝나기도 하고, 구미호로 시작된 이야기가 토끼와 호랑이 이야기로 끝나기도 한다. 나중에 엄마한테, 할머니는 어떻게 그렇게 많은 얘기를 아시는 거냐 물으니, 그날 라디오에서 들은 얘기나 동네 사람들한테 들은 얘기, 아는 얘기 섞어서 그때그때 하시는 걸 거라고 했다. 이 얘기 끝에 엄마가 그런다.

"요즘은 못 참고 자꾸 에어컨을 켜네. 더우면 이제 머리가 아파. 옛적 너희 할머니 생각이 많이 나네. 왜 그 방에 선풍기 한 대 못 놓아 주었나 싶고 죄송하기만 하네. 말은 못 하고 얼마나 더우셨을까. 없어도 마음 크게 먹으면 사드렸을 텐데, 내가 너무 몰랐어. 이런저런 생각에, 많이 미안하고, 할머니 생각이 많이 나네."

할머니는 이렇게 말씀을 잘하시던 분이었는데, 철없던 그 아들 어찌

되었는지 물었던 적 말고는 할머니께 다른 걸 더 물어본 적이 없었다는 생각이 들었다. 할머니가 살아오신 얘기, 하고 싶은 얘기 많으셨을 텐데. 이젠 아무리 생각해 맞춰 봐도 알 수 없는 이야기들이 있었을 텐데. 다시는 절대로 물어볼 수 없을 이야기들을 나는 이제 와 새삼 궁금해하고 있다.

아직도 차마 하지 못하는 이야기

한 번도 본 적 없는 할아버지가 손녀의 삶에
이렇게 막대한 영향을 미치고 있었다.*

또 또, 이놈의 집구석, 제일 먼 데가 어디야, 그러면서 기차에 올랐다. 갈아타지 않고 제일 멀리 갈 수 있는 곳, 여수로. 핸드폰은 꺼 놓고 달랑 지갑 하나 들고 나는 집을 나왔다. 여수가 고향도 아니고 아무 인연도 없는데, 나는 무슨 일만 나면 여수로 내빼곤 했다. 그날은 더더욱 여수여야 했다. 돌산 향일암에서 지는 해든 뜨는 해든 봐야지 살 것 같았다. 아버진 뭐 수구 꼴통이야, 그런 말씀을 하시냐 했다가, 늘 편들어 주던 남편이, 아버질 꼴통이라고 하는 며느리가 어디 있느냐, 나무라는 통에, 정신이 나갔었다. 어떻게 시아버지께 그런 말을 할 수 있을까, 나 또한 놀랐다. 오랜만에 시아버지의 동네 고향 친구분들이 마실들을 오셨다. 집이 크질 않아서 부엌에서 하는 작은 소리가 들렸나 보다. 내가 "오매!"라고 했다는 거다. 시아버지는, 친구분들이 전라도 며느리 얻었다고 뭐라 하더라, 하시며 나를 쳐다보았다. 특유의 속을 알 수 없는 표정에 무섭기도 하고, 무슨 상황인지도 모르겠고, 그냥 왠지 기분이 나빠서, 아버지 앞에선 한마디도 못 하고, 남편한테 하소연하려다 불쑥 튀어나온 말이 "꼴통"이었다. 다음 날 새벽, 역에서 기다리던 남편과 국밥을 나눠 먹

* 『엄마와 딸의 심리학』, 클라우디아 하르만, 현대지성, 2021, 137쪽.

고 집에 들어가 다시 잠이 들었다. 그리고 아무 일도 없었다. 조용히, 똑같은 하루하루가 이어졌다.

한참을 지나 엄마와 대화 끝에 나의 사적인 여수 반란 사건을 얘기하게 되었다. 엄마는, 어머, 네가 왜 전라도 며느리니, 아빠도 충북 영동 사람이고, 왜 너희 아빠 늘 족보 보셨잖니, 포은 정몽주 자손이라고 안 하시든, 너 서울에서 태어났잖아, 전라도에서 산 적도 없는 앤데 무슨 전라도 며느리래, 하고 한숨을 푹 뱉는다. 엄마한테는 영원히 비밀이었어야 했는데 괜한 말을 했다 후회되었다. 엄마는 풀이 죽어서, 엄마가 전라도 사람이라고 그러시는 거라니, 하신다. 엄마도 사투리를 안 쓰는데 그 말은 어디서 듣고 쓴 거니, 어려서 외가에 가면 그분들이 서울 사셨어도 사투리가 심하셨잖아, 그랬구나, 그러고선 다시 한숨 푹.

시댁이나 친정이나 하나같이 말수가 적다. 쓸데없다 생각되는 말들은 안 한다. 큰아버지가 군산 계신다고, 그래서 전라도로 알고 계신 건가 봐, 엄마의 생각이 꼬리를 물고 있다. 아닌데, 원래 네 시댁처럼 충청도 분인데, 할아버지가 함경도에 일 있어 올라가셨다가 전쟁에 무작정 기차 타고 내려왔고, 그 기차가 선 곳이 군산이셨다는 것 같은데, 알잖니, 아빠 혼자 먼저 서울로 올라오신 거. 엄마, 엄마, 잠깐만. 내가 서울 며느리든 전라도 며느리든 무슨 상관이에요. 도대체, 왜, 엄마가 안절부절못하는지요.

엄마의 고향은 전라도 해남이다. 일꾼들에게 낼 음식 하느라 분주한 부엌 설강* 옆 기둥에 매달아 뽈뽈 기어오르는 낙지 발을 탁하고 잘라 장독대 된장에 푹 찍어 먹곤 했다는 기억이 엄마에게 남아 있다. 그 지방 억양이 특색 있으셨던 외할아버지께서 몇 달 전 아흔 넘은 연세에 돌아가셨다. 말년에 치매가 있으셨다고 했다. 장례를 치르고 엄마는 혹시 모르니 병원에 가 치매 검사를 해보자고 했다. 당장 큰 문제는 없지만 치매 유전자라는 게 있으니 인지능력 유지에 신경 쓰라는 결과가 나왔다. 나는 엄마를 낳아 주신 외할머니를 늦어서라도 만날 수 있었다는 게 감사했다. 돌아가시기 바로 전까지 맑은 정신에 바지런하셨던 모습을 기억할 수 있으니 좋았다. 그럼, 이 치매 유전자는 외할아버지 쪽에서 찾아야 하는 건가. 엄마를 낳아 주신 아버지, 한 번도 본 적 없는 그 외할아버지의 존재가 궁금해졌다, 처음으로.

햇살이 카페테리아 유리창으로 쏟아져 들어오던 뉴욕의 메트로폴리탄, 나는 아르굴라 샌드위치를 먹으면서, 한 번도 본 적 없는 이 외할아버지의 기일을 맞아, 함께 일했던 한 신부님께 기도를 부탁하고 있었다. 엄마 나이 육십에 외할머니를 찾으니, 엄마를 길러 주신 부모님들은 외할아버지의 기일은 이제부터 엄마 차지라 하셨다. 엄마와 함께 동생을 보러 가 있던 참에 신부님을 뵙게 되었고, 말씀을 좀 드려 보라셔서 부탁을 드리긴 하는데, 엄마의 간략한 설명이 도무지 이해되지 않아서, 들은 말들을 그저 앵무새처럼 띄엄띄엄 전할 뿐이었다. 그러고서 또 몇 년이 흘렀다.

---

* 살강의 경상, 충남, 전라도 방언: 그릇 따위를 얹어 놓기 위하여 부엌의 벽 중턱에 드린 선반. 발처럼 엮어서 만들기 때문에 그릇의 물기가 잘 빠진다.

“내가 뿍뿍 길 적에 잡혀가셨대. 난 잘 몰라. 할아버지랑 식구들이 그 얘기를 안 했었고, 나도 또 원래 어려서부터 순둥이어가지고, 하지 말라 그러는 건 절대로 안 했대. 원래 물어보고 그런 걸 안 하고, 말이 없었대, 지금은 내가 수다쟁이(?)지만. 그래 어려서 사진을 보면 웃는 사진이 없어. 뚱하고 무표정인 거야. 그랬어. 그거에 대한 걸 일부러 모른다고 하는 게 아니라, 정말로 몰라. 한참 커서 어른들 하시는 얘기 쪼끔쪼끔 들은 것들뿐이지.”

엄마의 기억은 엄마 말대로 뿔뿔이 흩어져 떨어진, 군데군데 없어진 직소 퍼즐 조각 같았다. 엄마는 그 뚱하고 무표정인 사진조차도 물난리 났을 때 전부 잃어버렸다. 할아버지와 관련된 것은 외증조할아버지가 다 태워 버리셔서 하나도 남아 있는 것이 없었다.

전쟁이 터졌다. 학생이던 외할아버지 삼 형제는 숨어 있었다. 두 작은할아버지는 겁이 많고 무섭고 하니 꼼짝 안 했는데, 우리 할아버지는 친구들이 부르고 그래, 잠시 나갔다. 배가 고프기도 해서 뒤 집 계란을 훔쳐 먹었다. 시골에서는 밀이삭이나 계란 하나 정도 먹어도 가족이나 다름없이 사는 사람들이라 뭐라 안 하는데, 주인을 잘못 만나서 경찰에 잡혀갔다. 인민군에 안 끌려가려고 숨었더니 경찰이 더 무서웠다고 어른들이 그랬다. 할아버지가 어디서 어떻게 돌아가셨는지 모른다. 엄마는 몇 해를 넘겨, 작은할아버지에게로 호적을 올려 출생신고가 되었다. 엄마의 주민등록번호는 그래서, 그 전쟁 난리 통에서 살짝 비켜 있다.

전쟁은 많은 남성을 죽였습니다. … 당시 미망인 즉 '남편을 따라 죽지 못한 여성'이 무려 100여만 명에 달합니다. 이들의 처지는 '불쌍하다'를 벗어난 적이 없었고, 다만 그녀들의 기억 정도만이 연구를 통해 복원되고 있을 뿐입니다. '군경 미망인', 즉 남편이 한국전쟁 당시 남한 편이었을 경우 미망인들의 기억은 대부분 '자랑스러움'입니다. 고통을 이겨낸 여인의 긍지가 그들의 진술 속에 오롯이 담겨 있어요. 하지만 '피학살자 미망인', 즉 어떠한 이유에서건 남한 체제에 어긋난다는 이유로 죽임을 당한 남편의 아내는 다른 방식으로 당시를 기억합니다. 바로 '부끄러움'입니다. '기억나지 않는다', '잊어버렸다', '자식에게도 말하지 않았다' 식이니까요. 길 위에서 출산을 하기도 했고, 시댁 식구들에게 버림받기도 했으며, 생활고를 못 이겨 자식들과 동반자살까지 시도하기도 하는 이들에 대해서는 구체적인 기억과 지식이 존재하지 않습니다.*

유튜브에서 입담 좋게 역사를 설명해 주는 심용환이 쓴 글이다. 엄마가 해준 알 수 없는 이야기들을 이해해 보려고 1950년대 생활문화사를 도서관에서 이 책 저 책 빌려 공부하고 있을 때였다. 나와 무관했던 단어, '피학살자 미망인'. 한참 글을 써가면서도 이 단어가 잃어버렸던 퍼즐 조각 중 하나가 될 줄은 꿈에도 알지 못했다.

그랬구나. 그래서 엄마는 외할머니를 만났을 때, 자식이라고 앞에 나설 수 없어도, 할머니를 '지켜주고 싶었다' '다행이다' 했던 거였구나. 어머니가 한동네에서 아이가 뛰어노는 걸 지켜보면서도 아는 척하지 못

* 『단박에 한국사(현대편)』, 심용환, 위즈덤하우스, 2017, 237쪽.

했던 거였구나. 그리고 끝까지 말하지 못했던 거였구나. 두려움 속에서 어떡하든 살려 낸 거고 부디 살아 있기만을 희망할 뿐인 기다림이 있었구나. 하지만 왜? 인민군이 되지 않으려 했을 뿐인데, 잘못이라곤 계란 하나를 서리해 먹은 것뿐인데, 사람이 어디로 간 줄도 모르고, 죽었는지 살았는지도 모른 채, 그 아내는 아이와 살지 못하고, 그 아이는 낳아 주신 엄마와 아빠의 보살핌을 모른 채 살았어야 했을까?

엄마는 길러 주신 아버지(실은 작은아버지)의 염한 모습을 보니 갑자기 눈물이 터져 나왔다고 했다. 옆에 서 있던 이모가 말했다고 한다. "언니, 언니만 힘들었던 건 아냐. 우리 모두 힘들었어." 늘 큰 소리로 혼을 내시던 전라도 할머니, 치매에 걸려 울 엄마를 못 알아보시는, 십 년 전까지 나의 외할머니로 알던 여인. 세상 냉정하시던 그 할머니를 떠올리면 함께 들려오는 소리, "오매!" "오매, 징한 거!"

·

·

·

"아니 저 빨갱이, 운전이 아주 지 맘대로네!"

"엄마, 빨갱이가 뭐야, 큰일 날 소리 하시네!"

"아니, 저 빨간 차 말이야. 아무렇게나 빨갱이, 빨갱이들 하는데 뭐 어때."

"엄마도 빨간 차잖아. 그렇게 따지면 엄마도 빨갱이야."

어느 역사학자는 말한다, '자신의 과거 무의식적인 행동 속에는 한국전쟁을 직간접적으로 겪은 한국인들이 갖는 본능적인 공포감과 순응

주의가 철저히 내면화되어 있다'*고. 아들 말이 옳다. 빨강은 빨갱이가 아니다. 대한민국 표준국어대사전에 빨갱이는 '공산주의자를 속되게 이르는 말'이다. 그렇다고 딱히 '공산주의자'를 지칭하는 말도 아니다. 공산주의자 아니라도 그렇게 지목당하면 죽어 마땅한 인간이 되는, 혐오와 폭력, 광기의 단어다. 요즘은 아무짝에도 쓸데가 없는데, 여전히 이용되는 말이기도 하다. 그런데도 나는 지금, 이런 이야기를 이렇게 해도 되는지 스스로 검열하고 있다. 남편에게 이야기해 보았다. 남편은, 좀 예민한 문제 아니야(정치적인 것 아니냐고), 한다. 아니, 나 같은 사람은 그런 얘기 좀 하면 안 되나 하고 서운한 맘이 들다가 이내 정신을 차린다. 내가 뭐라고 그럴 수 있을까. 국가와 경찰이 평범한 사람에게 어떻게 그럴 수 있느냐, 항의라도 해보고 싶지만, 아니, 항의하는 게 아니다. 할 수도 없다. 전해 들은 이야기일 뿐, 사실이 무엇인지 알래야 알 수 없는, 너무 오래된 사건인걸.

나는 다만 말하고 싶다. 개인의 삶은 역사와 동떨어져 있지 않다고. 들어서, 배워서 안다고 생각하지만 생각해 보라고, 이런 걸 배운 기억이 있느냐고. 역사를 안 순간, 그런 일들이 분명 벌어졌다는 사실을 안 순간, 전라도 며느리라 한 충청도 시아버지를 원망하던 마음이, 가타부타 아무 말 없이 일상이 다시 계속되곤 하는 이유를, 묻지도 못한 엄마의 어린 시절이, 그저 미안하기만 한 엄마의 엄마 말이, 배운 사람들 하는 말인데 믿어야지 안 그러냐 하는 사람들과 공부를 그리해서 뭐 하느냐는 어르신들의 핀잔도, 광장에서 미국 국기와 태극기를 미친 듯 흔들어 대

* 『한국현대사산책(1950년대편)』, 강준만, 인물과사상사, 2004, 11쪽.

는 사람들까지 비로소 이해되더라고. 안개가 걷히는 듯한 이 기분을 아는 사람은 아마, 나 말고 없을 것 같다. 그래서 나는 아직도, 차마, 이 이야기를 끝까지 다, 할 수가 없다. 싸이와 방탄소년단 슈가가 서부영화 같은 배경에서 춤을 추며 "Do what you want(너 하고 싶은 걸 해)!" "Say what you want(네가 원하는 걸 말해)!"라 외치는 시대라 해도. 나는 그저, 식당에 가면 늘, 말소리 크다고 줄이라는 엄마에게만이라도 작은 목소리로 말하고 싶다. 이제 알았다고, 시대의 상처이지 당신 잘못이 아니라고, 덕분에 살아남았다는 걸 안다고, 누가 뭐라든 우린 당당하니 오늘부터는 누구를 원망하지도, 두려워하지도, 슬퍼하지도 말자고.

엄마가 기억하고 그린 고향 집 한편

꽃, 별 그리고 나의 멜랑콜리

그늘 하나 없이 햇살 더운 바람에 너울거리는 커다란 연꽃 그림을 끝내고 '여름의 끝자락'이라 제목을 붙였다. 돌아보니 산속 진달래가 팔락이고, 무수하게 달린 목련이 춤추고, 해바라기가 방긋 웃고 있는 꽃밭이다. 핸드폰이 꽃으로 가득 차면 나이 든 거라는데 핸드폰이 아니라 방을 꽃 그림으로 채우고 있다. 꽃이 싫은 사람이 세상에 어디 있을까? 부자 된다고 해바라기 그림을 그렇게 많이들 걸어 놓는다. 도연명은 국화를 좋아했다지. 많은 사람이 모란을 사랑하지만, 자신은 진흙 속에서도 고고한 연꽃을 사랑한다는 주돈이 글*도 있다. 같이 그림을 배우던 성당 자매님들도 꽃을 참 열심히 그렸더랬다.

젊을 땐 꽃이 특별하지 않을 수 있다. 자기가 꽃이니까. 어릴 적 나도 꽃이 그렇게 좋진 않았다. 장미는 가시에 찔릴까 무서웠고 그 냄새가 꼭 오줌 같기도 해서 도대체 장미 향이 왜 좋다는 건지 몰랐다. 예쁜 여자를 꽃에 비유하는 것도 불만이었다. 나도 꽃이었던 시절 이야기다. 꽃을 좋아하고 잘 가꾸는 사람들 마음을 조금도 의심하지 않는 것, 그것도 이상한 일이었다. 이 세상일이란 게 좋은 거 아니면 나쁜 건 게 아니라, 어느 정도 좋으면 어느 정도는 나쁘기도 하다는 걸 깨달은 나는 늘 한편으로 외로웠다. 파리지옥을 기르던 옆집 친구에게 놀러 가는 게 더 재밌었다.

---

* 중국 북송시대 대표적 유학자, 성리학자인 주돈이(周敦頤)의 애련설(愛蓮說)에서.

우리 시어머니도 꽃을 잘 가꾸신다. 우리 동네에서 최고로 부지런하고 유쾌한 분이 아닐까. 집집 화분과 거리, 공원, 산책로의 화단을 꿰뚫고 계셨다. 어느 날 하루는 아파트 현관 옆 공터에 사람만 한 철쭉나무를 열심히 옮겨 심고 계시는 거다. 분홍 꽃이 조화롭게 가득한 나무였다. 이유인즉, 이렇게 고운 꽃이 외진 곳에 피어 많은 사람이 볼 수가 없다는 것. 어머님의 뜻과는 달리 자리를 옮긴 꽃은 곧 시들어 버렸다. 내가 좀 예민한 사람일까? 나는 문득 그 나무가 내가 아닐까 싶어지는 거다. 꽃이 활짝 피었을 때 뿌리째 뽑혀 낯선 땅에 발을 묻고 사람들의 시선에 둘러싸인 것이. 나무가 말라 죽자, 내 머릿속 등불도 딸깍하고 꺼졌다. 끝없이 필 것만 같던 풍로초도, 아빠가 남겨주신 군자란도 잿빛 세월에 모두 묻혔다. 꽃이라는 생명체는 내게 그렇게 헛되고 헛된 기억이었다.

'먼지가 될 것이다.' 예상 밖이다. 자신이 죽으면 어디로 갈 것 같은가 아니, 어떻게 될 것 같은가를 묻는 유튜브 질문에 대한 답으로, 천국으로 간다, 지옥에 간다, 모두 아니고, 환생도 아니고, '먼지가 될 것이다'를 선택한 사람이 반을 넘는다. 세상 치열하게 열심히 사는 대한민국 사람들 아니었나. 천국에 갈 거다, 아니면 환생하리라, 생각할 줄 알았는데, 나같이 생각하는 사람이 많다니, 놀랄 일이다. 우리는 모두 '우주의 먼지'라고 하는 이야기를 EBS의 우주 대기획 다큐멘터리에서 들었다. 그래서 나는 종교를 가지고는 있지만 죽으면 당연히 먼지가 된다고 생각하는 편이다. 얼마나 많이 답을 했는지, 연령대는 어떤지 알 수 없었지만, 아마도 나와 비슷한 연배 이상의 사람들이 응했을 것이라는 상상을 해본다. 나이 든 사람들이 유튜브에서 하는 이런 조사에 클릭했다고? 아닐지도 모르지만.

그렇다. 내게 갱년기가 왔다. 요리조리 세보아도 산 날이 살날보다 많다. 마음 같아선 아직도 세상 물정 모르는 스물셋 아가씨인 것만 같은데, 나는 말이 끝도 없는 아줌마가 되었다. 윤성희의 단편 소설집 『날마다 만우절』에 나오는 인물들처럼 거짓말 같은 일들이 역사가 되어 가는 중년이다. 잠깐 하늘을 올려다보노라면 아니, 너무 평범하구나 싶다. 낯선 것은 맞는데 왠지 모르게 어디선가 한번 만나지 않았나 싶은 사람 얼굴들이 꽤 많다.

아무래도 거짓말이지 싶은 순간이 내게도 있었다. 홀바인의 『무덤 속의 그리스도』처럼 누운 사람을, 이 세상을 막 떠나가는 사랑하는 이의 모습을 본 일이다. 죽음이란 건 사람에게 당연한 건데, 그것이 참 별일인 거다. 삶의 끝이 이렇듯 허무한데 기를 쓰고 산다는 게 무슨 의미가 있을까. 인간이라는 존재가 그렇게 보잘것없고 하찮을 수가 없었다. 나는 그 후로 한참, 아무것도 하고 싶지 않았다.

어두운 밤, 단말마의 그 정적과 고통이 떠오르면, 안경을 급히 챙겨 쓰고 물 한 잔을 마신 뒤 심호흡을 한다. 그러면 온몸의 핏줄이 울컥 떨려 온다. 히포크라테스가 말하는 검은 담즙이 내 몸속에 아마 함께하고 있을 거란 생각이 들었다. 그것을 나의 멜랑콜리*라 하자…. 삶이 모두

---

* 히포크라테스에 따르면 인간의 육체 속에는 네 개의 담즙이 있어 그것들이 건강 상태를 조절하는데 그 가운데 인간에게 두려움과 슬픔을 오랫동안 지속시키는 원인 물질이 흑담즙, 멜랑콜리다. 멜랑콜리란 '검은'이라는 뜻의 melan과 '담즙'이란 뜻의 kholê로 이루어져 있다. 정신에 밀려드는 파도, 희열, 향수. 정신분석학자 줄리아 크리스테바는 『검은 태양』에서 멜랑콜리의 개념을 "삶의 욕구, 욕망, 언어의 소멸과 모든 행동의 금지와 자살충동으로 나타나는 무거운 감정 상태"라고 정의하고 있다. 한

빠져나간 뒤 아빠의 혈관에 남아 있던 그것이었을까. 나는 살아 있어. 죽음과 함께 살고 있어. 그러다가 다시 잠들곤 했다.

생각해 보니, 아빠가 가르쳐 주고 가신 게 있다. 아빠는 여덟 살 때 유행하던 전염병에 걸려 죽었다 살아난 적이 있다. 병풍 뒤에 누이고 곡들을 해줬는데 예수님처럼 사흘 만에 다시 살아났다고 한다. 그때 아빠는 영화 같은 데서 많이 보는, 빛으로 가득한 터널을 지나고 있었다고 했다. 저 멀리 뭔가 재밌는 게 있는 것 같아 얼른 가보려는데 어른들이 부르는 소리가 나더라고 했다. 그래도 너무 궁금해서 더 가고 싶었는데 우는 소리에 돌아와 눈을 떴다고. 그렇게 다시 얻은 삶, 칠십이면 충분하지, 죽는 건 두려운 일이 아니라는 걸 난 알아, 그러셨다.

어느 해인가 구월이었다. 통통한 잣을 주울 수 있던 가평 유명산으로 캠핑을 갔다. 청량한 밤, 굽이굽이 산을 돌아 중미산 천문대를 찾았다. 평생에 처음 가본 천문대인데 날씨까지 너무 좋아서 쏟아지는 별빛이 뭉클했다. 망원경으로 토성과 목성도 볼 수 있었다. 조금 큰 점 같은 토성이었지만 그림, 사진에서 보던 그 고리까지 보였다. 지금 우리가 보고 있는 저 별빛은 모두 과거의 것이라 했다. 몇만 년, 몇십만 년은 보통이라고. 지금 그 별이 있는지 없는지도 알 수 없다. 너무 아름다워 눈물이 났다. 죽어서 먼지로 머무는 곳이 저런 곳이라니 허망한 것만은 아니야. 아마도 삶이란 별빛 같은 것일까. 지금 이렇게 살아 있지만, 지금은 보이지 않는 것. 볼 수 없는 것. 문득 사라진다 해도, 무한의 시간 지나 어

편, 이 멜랑콜리의 세계에서 아름다움이 생겨 나오며, 절망을 통해 조화를 찾을 수 있다고 한다.

딘가에선 볼 수 있는 것. 살아지는 것, 사라지는 것….

그 별빛을 바라보듯 나는 꽃을 그린다. 화분이나 화병의 것이 아니라 산에 핀, 밤에 핀, 무리 지어 흐드러지게 핀 꽃을. 지금은 사라진 그 꽃을 그리며 별빛을 보듯 기억한다. 나는 비로소 이별의 슬픔을 바라본다.

우리가 잃어버린 것만을 애도해야 하는 건 아닙니다. 우리는 바라던 경험을 하지 못했다는 사실 또한 애도해야 합니다.*

이 구절 때문에 엄마와 함께 『엄마와 딸의 심리학』이란 책을 읽었다. 김영하는 그의 산문집 『말하다』에서 10살, 연탄가스 중독 사건 이후로, 유년 시절의 추억이 없어졌다고 하던데 뭐, 연탄가스 마시는 일 없어도, 보통 사람들은 가지고 있는 기억이 아예 없는 사람도 있지 않은가. 애초에 없어서 바라는 법도 몰랐던 일들 말이다. 여기까지 생각하다 보니 한 번도 본 적 없는 외할아버지와 할아버지가, 만남과 동시에 불현듯 이별하게 된 외할머니, 얼마 전 돌아가신 외할아버지와 살아 있어도 추억이 없는 외할머니, 모두 애달프다.

지금 냉장고엔 밥 잘 챙겨 먹으라고 엄마가 해준 멸치볶음, 오이지무침, 콩장이 들어 있다. 시어머니 드리라고 오이짠지도 한 통 담아 주셨다. 엄마가 있으니 할 수 있는 거라면서. 엄마는 멀리 있는 또 다른 딸 걱

* 『엄마와 딸의 심리학』, 클라우디아 하르만 지음, 장혜경 옮김, 현대지성, 2021, 115쪽.

정에 혼자서도 비행기 타고 먼 미국 땅까지 간다. 아빠 손 잡고 같이 다니고 싶어 아빠 은퇴만 기다렸었는데…. 우리는 그렇게 엄마와 딸로, 서로에게 얼마 남지 않은 시간을 채워 갈 것이다. 엄마, 힘들지만 않게 하시길. 최대한 건강하시길.

mí

에필로그.♩ *Life*

"저기 저 사람이 박인비 남편이잖아."

"응, <어쩌다 사장>에 나온 착한 그 남편?"

"맞아. 박인비는 남편하고 만나서 더 잘 된 경우야."

"발레리나 강수진도 남편 덕에 재기할 수 있었다던데."

8년을 연애하고 25년 넘게 같이 살고 있는 사람. 청춘을 함께하고 같이 늙어 가고 있는 내 남편. 우리는 서로 참 바쁘게 살았다. 그는 기계를 다루는 이공계, 나는 인문계. 서로가 알지 못하는 영역에서 바쁘게 살다 보니 서로의 이해와 관심이 만나는 곳을 찾기가 쉽지 않았다. 그래도 동문이고 같은 동아리 선후배였기에 공유 화제가 아예 없는 건 아니지만, 보통 사람들 사는 게 그렇듯, 부모님 모시고 아이 키우다 보니 대화 시간이며 대인 관계며 공유 시간이 점점 짧아지다 못해 사라져 간다. 이렇게 남편을 보지 못하고 같이 얘기할 시간이 없다는 건 내겐 거울을 자주 보지 못하는 것과 같다. 그에게 나도 그런 거울 같은 존재였으면.

박인비는 골프 선수다. 박인비와 그녀의 남편이 등장하고 있는 곳은 TV에서 중계하는 골프 경기. 남편이 지금의 직장으로 옮기면서 반강제로 시작한 스포츠가 골프다. 시작은 반강제였지만 지금은 내심 좋아한다. 그가 대놓고 좋아하지 못하고 내심 좋아할 수밖에 없는 이유는 나 때문이다. 우리는 같은 취미로 만난 사람이라서, 한 사람이 좋아하면 웬만하면 같이 좋아하게 되고, 같이 즐기려 하는 경향이 있다. 처음 골프 연습장을 따라가던 날, 아무 생각 없이 쫓아간 나는, 온몸에 골프용품을 장착하고 연습하는 다른 여성들을 보았다. 짙은 화장에 딱 붙는 티셔츠, 미니 스커트. 나는 그런 것들이 필요하다는 것을 모르고 있어서 놀랐고, 그런 옷을 입을 수 없는 내 몸이 남편에게 미안해서 짜증을 냈다. 나는 도저히 즐길 수가 없었는데, 남편은 아랑곳하지 않고, 퍼팅을 해보자는 둥, 이게 아이언이라는 둥, 강한 코어와 부드러운 회전이 중요하다는 둥, 신이 나 있다. 집에서도 그의 골프 사랑은 계속되었다. 진짜 골프가 재밌어서 더 잘 쳐보려고 보는 건지, 선수들의 튼튼한 허벅지, 날씬한 허리, 단단한 팔, 뽕브라 때문인지 봉긋한 가슴, 뭐 그런 걸 보는 건지 질투가 생겼다. 저 사람 자세 좀 봐봐라, 좋아 보이지 않냐, 내 자세는 비교해서 어떤 것 같으냐, 질문이 많은 걸로 보아, 여자들 보려고 골프 경기를 보는 건 아닌 것 같긴 하다. 쭉 뻗은 남자 골프 선수 몸이 그렇게 멋있다고 해서 관심도 없는 경기를 두 시간씩 틈만 나면 볼 수는 없으니까.

골프장을 보면 또 그게 그렇게 이해가 가지 않았다. 골프 경기 즐기려고 저렇게 넓고 아름다운 곳에 잔디를 덮고 울긋불긋 꽃을 심고 좋은 경치를 소독약 쳐서 관리하다니…. 어쨌든 남편은 그런 골프가 좋고, 골프에 대한 내 생각을 아니까 대놓고 좋아하지 못하는 착한 사람이다. 그래서 그는 내심 골프를 좋아하는 사람이 된 것이다. 나의 질투심은 여기서도 피어난다. 마치 아이가 자라 품을 떠나서 모르는 곳에 가 놀다 오더라도 그러려니 해야 하듯이 남편의 독립된 취미생활도 받아들여야 한다.

남편의 귀가 시간은 늘 늦다. 그래도 얼굴 좀 보고 살겠다고 어쩔 수 없이 밤늦은 텔레비전 프로그램을 졸며, 보며, 같이 이야기 나누다 자는데, 그 와중에 본 프로그램이 <어쩌다 사장>이었다. 나는 조인성과 차태현 때문에, 그는 박인비와 그의 남편이 출연해서 같이 보게 된 우연한 시간이었다.

"이리 좀 와봐, 박인비가 남편하고 같이 경기하고 있어."

나도 참 눈치 없지. 골프 얘기를 하고 싶었을 건데 골프에는 도무지 관심이 생기지 않아서 나는 나대로 밤에 티브이 보며 조느라 하지 못한 이야기를 꺼낸다.

"우리 2년인가 3년 전에 '마르셀 뒤샹' 전에 간 적 있었잖아."

"뒤샹? 뒤샹…, 어디서 들어 봤는데…. 맞아, 경복궁 옆에 옛 일제 강점기 때 건물, 현대미술관에서."

"뒤샹이 사서였다잖아…."*

역시 절대 시간 부족. 남편은 무엇이든 시간이 정해지면 경주마가 된다. 다른 건 금세 컷!

"맞아 … 아, 아들아! 우리 머리 깎을 시간 다 됐어. 늦는다고. 서둘러!"

"응, 알고 있어."

샤워하는 물소리 속에 묻힌 무심한 대답 소리.

---

* "나는 '나 자신을 위한' 그림을 그릴 수 있는 충분한 시간을 확보하기 위해 일자리를 찾았습니다."(마르셀 뒤샹의 1955년 7월, 필라델피아 미술관에서 제임스 존슨 스위니가 진행한 텔레비전 인터뷰에서, 국립현대미술관 서울관 『마르셀 뒤샹 전 도록』, 2018.)

일상의 시간이 돌아가는 소리. 빨래 걸이에서 옷들을 들쳐 보며 외출복을 찾는 아들 모습, 서둘러 신을 신고 나서는 아빠. 나는 뒤샹에서 빠져나와 띵똥거리는 세탁기로 달려가서는 축축한 빨래를 꺼내 얼른 널고, 탁탁탁 신발을 신고 나가는 아들과 남편에게 도레미파 '솔' 높이로 머리 예쁘게 깎고 오라고 인사를 한다.